印刻
印刻书院

写给孩子的成语故事

成语中的科学 4

牛顿编辑团队 著/绘

话，为什么要这样说？

小侄儿很认真地读着一本《成语故事》，突然抬起头来，溜动着黑眼珠，疑惑地问我："为什么要说'三人成虎'而不说'三人成猫'呢？"我被问得怔住了。孩子们总喜欢问些小问题，小得大人们都已习以为常，认为它不成问题。别说我不曾去想小侄儿所问的这个问题，就是"画蛇添足""鹦鹉学舌""鹤立鸡群"等成语，为什么要这样说而不那样说，我也不曾想过呀！仔细想想，我们每天都在说却不知道为什么要这样说的话，实在太多了。

语言不只是人与人之间沟通的工具，它根本就是一个人思维的表现。不相信？那么你看：思维混乱不清的人，便语无伦次；思维僵化而没有创意的人，便人云亦云；而对这世界常有新鲜感觉与想法的人，讲的话便往往新鲜得让人惊奇！

当孩子们常常问这句话为什么要那样说、那句话为什么要这样说，就表示他不满足于只知道世界是"这样"而不知"为什么要这样"。对他来说，每个"为什么"都不是小问题啊！您能启发他找到满意的答案吗？

当您的孩子也问："为什么要说'三人成虎'而不说'三人成猫'呢？"您能启发他找到什么答案？看着小侄儿溜动的黑眼珠，我也必须认真地想想这个问题，还有其他说了半辈子却始终不明白为什么要这样说的成语！

"小牛顿"有一群年轻人很想替孩子们解开这些疑问。他们选择了两类成语，用非常有趣的漫画，引导孩子去想想看：为什么要说“三人成虎”而不说“三人成猫”？为什么“望梅”能够“止渴”？……

第一类成语，他们叫它“成语动物园”。把中国成语所写到的动物养在一块儿，真的可以成立一座动物园哩！狮子呀、老虎呀、蛇呀、鹦鹉呀、鹤呀、鸡呀……人们讲起话来，满嘴巴的动物，这是为什么？简单地说，是为了“比喻”，用“动物的特性”来比喻“人情”。您想想看，骂一个人只会跟着别人说同样的话，拿“鹦鹉学舌”来做比喻，真的再生动不过了。

但是，孩子们或许更想知道为什么特别拿鹦鹉来做比喻；当然是因为鹦鹉具有“学舌”的特性。“小牛顿”的构想是：除了用漫画表现一则成语产生的经过及意义，还要建立“动物小档案”，记载动物的特性，并告诉孩子们为什么要拿这个动物来做比喻。

第二类成语，“小牛顿”叫它“成语中的科学”。为什么“望梅”能够“止渴”？为什么“种瓜”只能“得瓜”？这类成语，也多是因物理以见人情的比喻。但是，除了它的比喻意义，其中描写的物理现象，是不是也可以用科学知识去解释呢？

看漫画，学成语，再想点儿科学道理：这个构想真的很不错呀！他们告诉我，很希望让这套漫画书兼具趣味性、知识性与思考性。我相信他们会尽力做好。以后，小侄儿再问我这类问题，就可以带他到这套书中去找答案了。

颜昆阳

目录

当机立断

注释：当，面对。机，事情发生的征兆。断，下决断。

用法：形容一个人很果断，在事情发生之前就能立刻做决断。

我们来玩捉迷藏呀！

黑白猜！

哈哈，你当鬼！

1，2，3……躲好了没？
还没！

都躲哪里去了？

那只豹一直是豹群中的领导者，它有一双不怒自威的眼睛，在倾听纠纷时，常令说谎者心慌。当豹群一同抵抗外敌时，它常借着敏锐的观察力而当机立断，拟定御侮的策略。无人不知它是豹群中的灵魂人物。

救命啊！

快去找石头来打破水缸救人！

砰！

出来啦！出来啦！

人类自称万物之
灵，因为我们有发
达的大脑。

不论看书、写
字、唱歌、运动、
思考等，都必
须用到大脑。

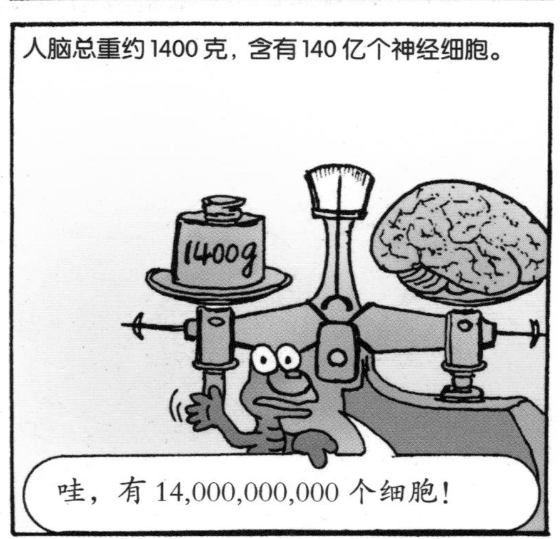
人脑总重约1400克，含有140亿个神经细胞。
1400g
哇，有14,000,000,000个细胞！

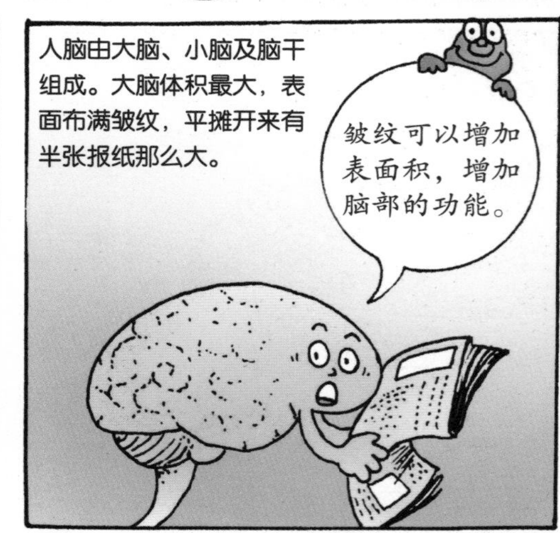
人脑由大脑、小脑及脑干
组成。大脑体积最大，表
面布满皱纹，平摊开来有
半张报纸那么大。
皱纹可以增加
表面积，增加
脑部的功能。

大脑分为左右两部分。一般而言，左
脑负责语言、计算等
逻辑思考；右脑负
责音乐、艺术等创
造直觉。

左右脑中间有大脑胼胝体连接，综合处理所有信息。
感性加理性，全靠我沟通。

小脑体积只有大脑的$\frac{1}{8}$，主要负责身体平衡及肌肉的松紧度。
肌肉放松，稳住，稳住！

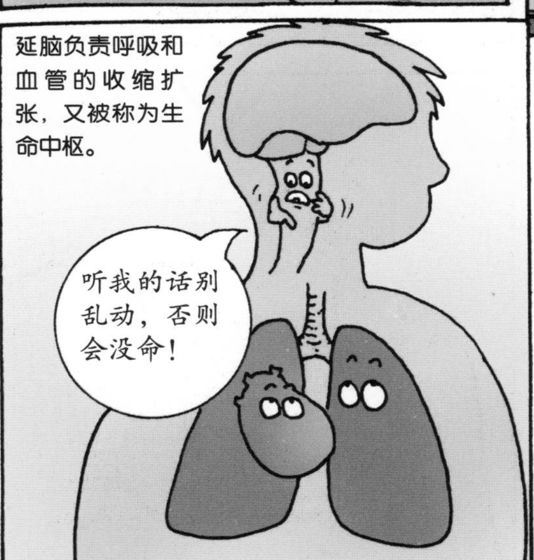
延脑负责呼吸和血管的收缩扩张，又被称为生命中枢。
听我的话别乱动，否则会没命！

脑部一天需要消耗的能量，约占整个人体消耗量的$\frac{1}{3}$。
工作量大，当然食量也大！

人类大约30岁以后，脑神经细胞会逐渐减少，称为脑的老化。
我还灵光，智慧与经验永不嫌老。

为了使头脑更灵光，要多用脑、常运动、注意营养与睡眠。

人体总司令

●140亿个脑神经细胞中的每一个细胞，都是由500根神经纤维所组成的。●进入脑部的感觉刺激有40%是从视觉神经传过来的。●一般而言，大脑对99%以上的讯息都不加理会。例如生理活动、衣服与皮肤的摩擦等等。●脑的重量会随年龄逐渐增加，但三十岁以后，脑神经细胞会逐渐减少，每天减少数万到数十万个。不过智能并非决定于神经细胞的数目，而是决定于神经的回路。●因脑部受伤而昏迷不醒的植物人，其脑干依然完好，还能控制身体的重要机能，可以活好多年。

黄粱美梦

注释：黄粱，杂粮的一种。
用法：比喻荣华富贵像一场梦一样短暂。

卢生是个穷困潦倒的书生，有一天投宿旅店，想起自己的遭遇，不禁唉声叹气。
老天实在太不公平了！

这位公子，有什么不如意的事吗？

你用这枕头睡一觉吧！祝你如意。

旅店主人正在屋檐下煮黄粱。
睡个觉起来，正好吃黄粱饭。

卢生睡在枕头上，很快便做起梦来——

梦中他娶了大财主的女儿为妻。
哈哈——郎才女貌，天作之合！

参加科举，中了进士。
肃静
进士

率军大破戎兵，受封为丞相。
冲呀！把戎兵赶回去！

儿子个个有成就，孙儿也有十几个，一家人其乐融融。

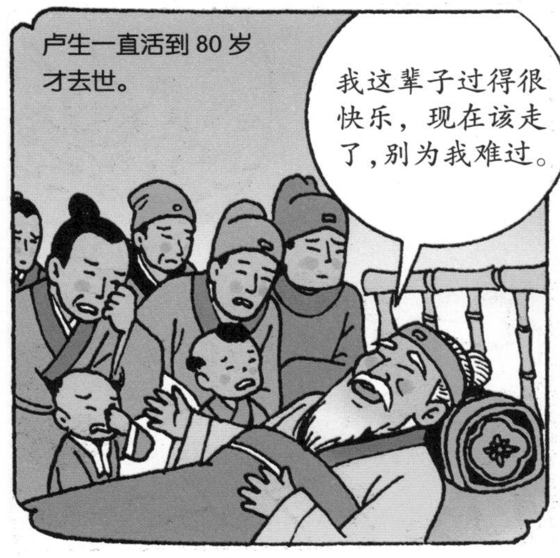
卢生一直活到 80 岁才去世。
我这辈子过得很快乐，现在该走了，别为我难过。

卢生笑着从梦中醒来，伸懒腰时才发现旅店主人仍在煮黄粱。
这么快就醒了呀，黄粱还没熟呢！

蛾看着镜子里的自己，突然变成了五彩斑斓的凤蝶，于是高兴得到处飞舞。有不少蝴蝶开始追求它了，最后它嫁给了一只英俊的富翁蝶……忽然间，它醒了过来，才知道原来是午饭吃的那个南瓜，送它一个美梦。

脑细胞工作了一整天,会发出“疲倦”的讯号给睡眠区，降低兴奋的程度，使人昏昏欲睡。

好累！该休息啦！

放松……
慢慢放松……

入睡后，各种内脏活动都减慢下来，以便节省能量。

呼吸变慢，我就不用那么累了！

趁他睡觉，放慢脚步，休息一下。

少喝点，免得他半夜起来小便。

入睡后每隔一段时间，眼球会急速转动，这时就是在做梦。

哇！比坐旋转木马还过瘾！

嘘！别吵，他正在做梦呢！

咦？人为什么会做梦呢？

原因很多呀！例如——

心理因素：所谓“日有所思，夜有所梦”。平常挂念或担心的事情会成为梦境的一部分。
明天考试
加油

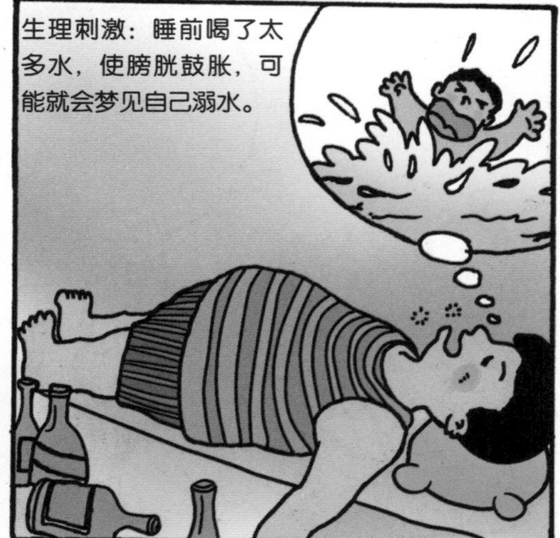
生理刺激：睡前喝了太多水，使膀胱鼓胀，可能就会梦见自己溺水。

外界刺激：当我们熟睡时，外界的干扰常会被转化，编入梦中。

万一所做的噩梦超出忍耐极限，便会惊醒过来，调整紧张的情绪，或更换睡姿。

有些人睡到一半，会突然起身，莫名其妙地走来走去，或做出一些惊险的怪动作。这种现象称为梦游，其实这只是一种熟睡时的异常行为，并不是做梦。
别吵！他只是梦游而已。
他……他想干什么？

做梦的最大好处就是使我们压抑在心底的情绪，毫无顾忌地发泄出来，保持心理的健康。

如果让一个人长期无法睡觉及做梦，他会变得暴躁不安。

睡饱后，体力逐渐恢复，脑干的网状组织又开始活动，展开新一天的生活。
睡得好饱！早点起来上学去！

休息是为了走得更远

●一天中从事各种活动所累积的疲劳，只靠短暂的休息是不够的，必须以睡眠来使疲劳完全消除。●婴儿一天中会重复许多次较短的睡眠，但随着生长、发育，睡眠次数逐渐减少，每次的时间慢慢增加，到了三岁左右，就会和成人一样了。●通常，儿童约需睡九至十二小时，成人约七至八小时，而年纪越大，所需时间就越少。●我们在一夜之中，通常会做四到六个梦，占总睡眠时间的$\frac{1}{4}$，但醒来时只记得睡醒前的最后一段而已。●一般说来，儿童梦游比成人多，尤其是长期紧张、焦虑的人最容易发生梦游。

牵一发而动全身

用法：比喻所动虽小，影响很大。

燕昭王在位时，有一年夏天，久旱不雨——
再不下雨，下半年就没饭吃了。

想办法去借点米吧！
能向谁借？……除非地主。

盗贼四起——
把食物拿出来！否则——
快呀！快呀！

不知民间疾苦的昭王，却仍在宫中饮酒作乐。

你们可有什么良策，能增加国库里的银子？

大王您可以增加税目，要求人民多缴些税呀！

使不得！大王，民间正闹饥荒，人民哪有闲钱缴税？这时候随意增加税目，对国家经济可以说牵一发而动全身呀！
那我该怎么做呢？

请大王先解决国内的饥荒问题。

人民不再饿肚子，自然有精神工作，有了工作和收入，买卖自然兴旺。

买卖兴旺，社会繁荣，国家的税收自会增加呀！
还要等这么久啊？

螳螂刚从三姨那里端了五样菜——两手各一盘、两肩各一盘、头上还顶着一盘，正往回家的路上走。这时风正吹，吹起了蒲公英漫天飞。白茸茸的蒲公英种子，不小心被螳螂吸进了鼻子。它一直憋着喷嚏不敢打。

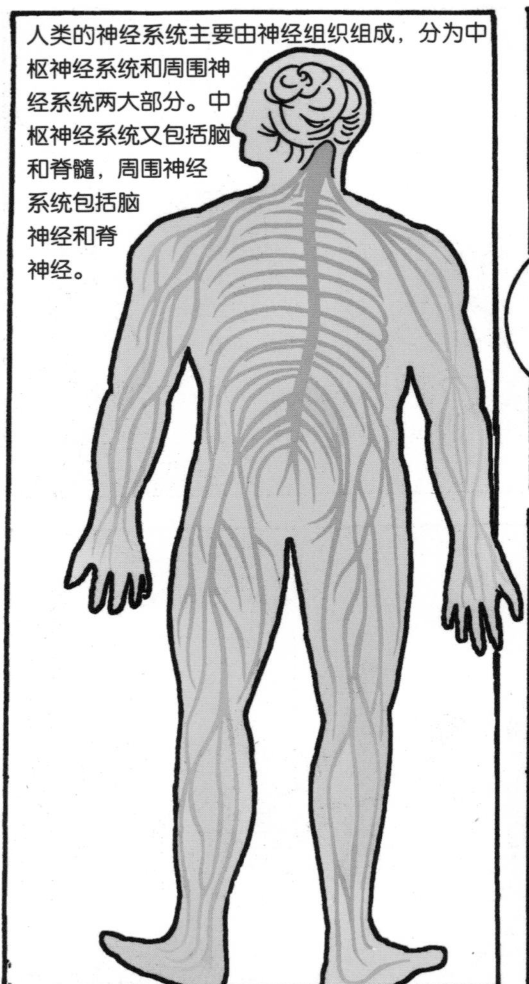
人类的神经系统主要由神经组织组成，分为中枢神经系统和周围神经系统两大部分。中枢神经系统又包括脑和脊髓，周围神经系统包括脑神经和脊神经。

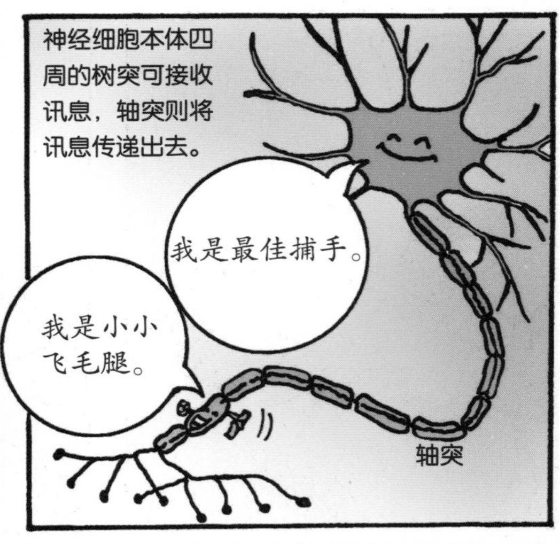
神经细胞本体四周的树突可接收讯息，轴突则将讯息传递出去。
我是最佳捕手。
我是小小飞毛腿。
轴突

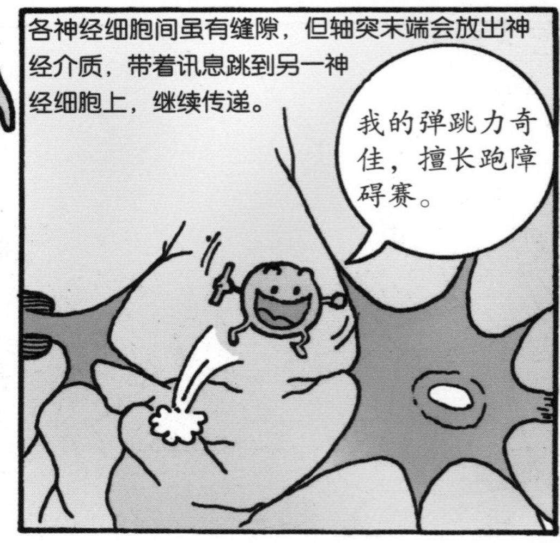
各神经细胞间虽有缝隙，但轴突末端会放出神经介质，带着讯息跳到另一神经细胞上，继续传递。
我的弹跳力奇佳，擅长跑障碍赛。

脑神经共有 12 对，分别延伸到眼、耳、鼻、脸、舌、咽喉及胸腔、腹腔里的内脏器官。

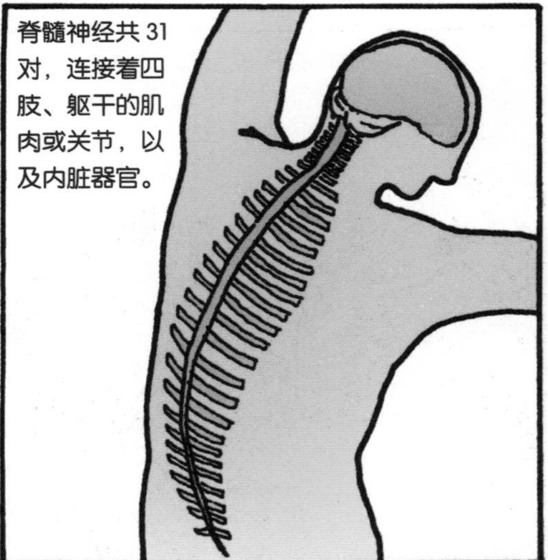
脊髓神经共 31 对，连接着四肢、躯干的肌肉或关节，以及内脏器官。

末梢神经的末端分布在真皮层内，每平方厘米约有一百多根神经。
好痛！
好烫！
好重！
好冷！

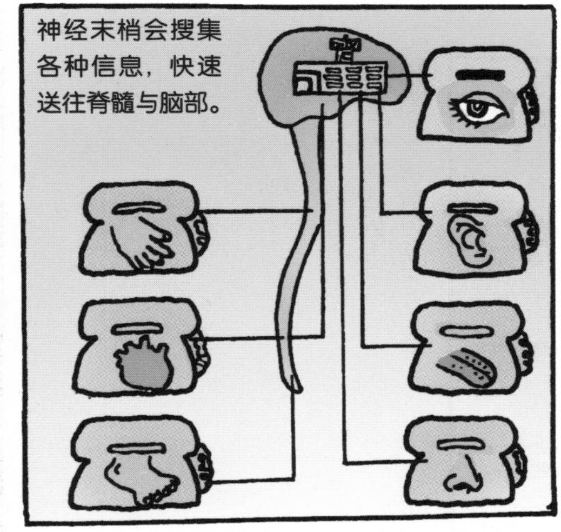
神经末梢会搜集各种信息，快速送往脊髓与脑部。

脑部接收到传来的讯息后，加以判断，然后命令眼睛及四肢采取行动。
快打死那只蚊子！
快看大腿发生了什么事！
哇！好好吃！

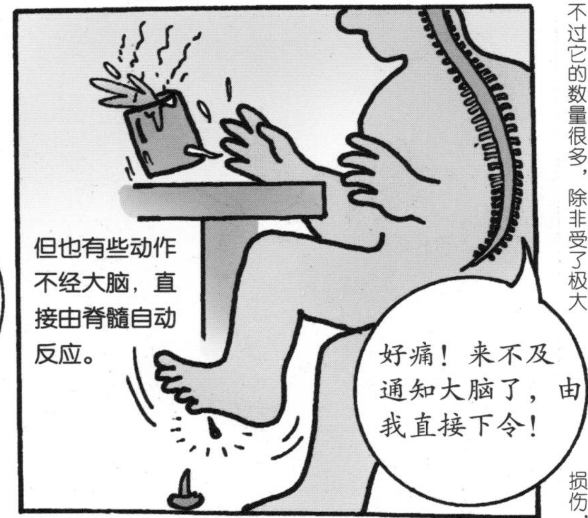
但也有些动作不经大脑，直接由脊髓自动反应。
好痛！来不及通知大脑了，由我直接下令！

酒精会使大脑皮质功能降低，导致头晕及走路摇晃。因此，喝酒绝不可过量。
是不是地震了？
XO

最复杂的情报网

●人类的神经系统是由300亿个神经细胞联结而成的。●如果将人体内的所有神经细胞连接起来，总长为72.5千米。●当身体受伤时，受伤部位的组织中会产生一些化学物质，与附近的神经接触，使人感觉疼痛。●疼痛虽然使我们感到不舒服，但是它也是通知我们身体异常的一种警报器，使我们免于遭遇更大的危险，是不可或缺的防御体系。●人一出生，神经细胞就已经齐全，死一个少一个，不能再生。不过它的数量很多，除非受了极大损伤，否则终生用不完。

千钧一发

注释：钧，古时三十斤为一钧。全句意思是说千钧重的东西挂在一根头发上。

用法：比喻情势非常危急。

齐国宰相有个性子非常急躁的车夫。
哎呀！别跑这么快！

不跑快，怎能显出您的威风？

这马车怎么跑这么快！
马车来了，快跑！

雄狮狗虽然长得威武雄壮，可是它害怕那只豹纹的野猫。现在狗鼻子上还有三道猫抓的伤痕。冤家路窄，它们又在狭路上相逢，吓得雄狮狗直往前跑，可是前面挡着一面大墙，野猫又穷追不舍，它只好奋不顾身地从墙上跳了过去。

宝儿！
宝儿！

嘶
啊！
妈妈！

危险！

哪里受伤了？要紧吗？
还好！还好！

叫你别跑快！你偏不听，这下……

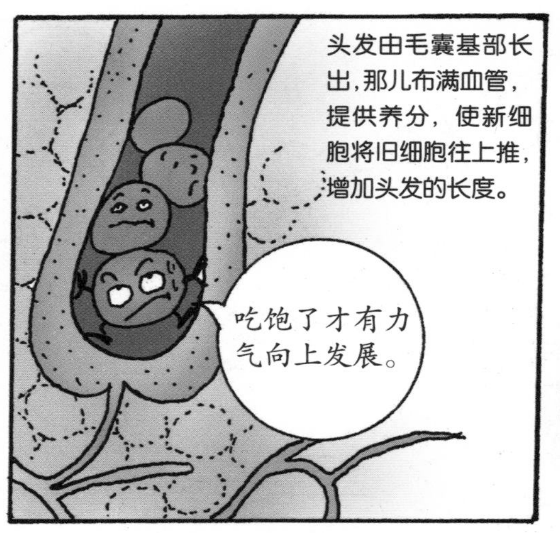
头发由毛囊基部长出，那儿布满血管，提供养分，使新细胞将旧细胞往上推，增加头发的长度。
吃饱了才有力气向上发展。

人类的头发有10万多根，具有保护头部的功能。
她的头发又多又长，看起来温柔多了。

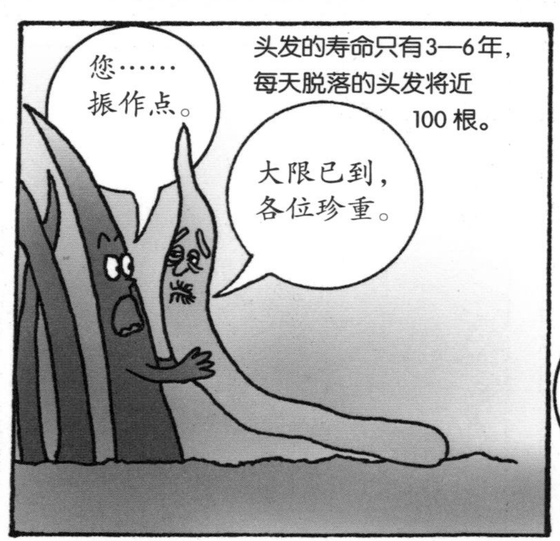
头发的寿命只有3—6年，每天脱落的头发将近100根。
您……振作点。
大限已到，各位珍重。

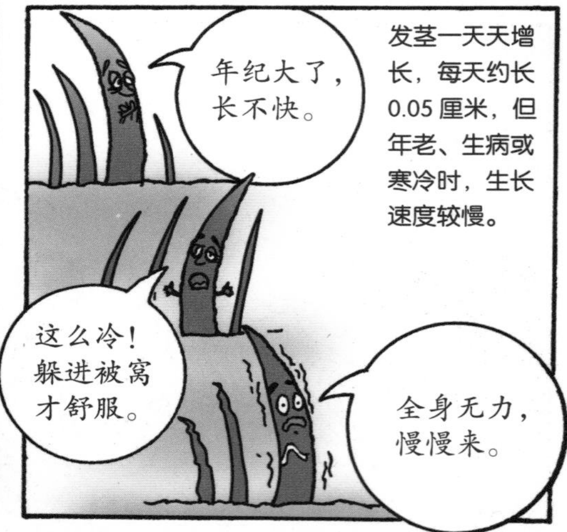
发茎一天天增长，每天约长0.05厘米，但年老、生病或寒冷时，生长速度较慢。
年纪大了，长不快。
这么冷！躲进被窝才舒服。
全身无力，慢慢来。

但是若没有保持头部的清洁，则可能不会再长。
又脏又乱，怎能发展？
都快把我闷死了！

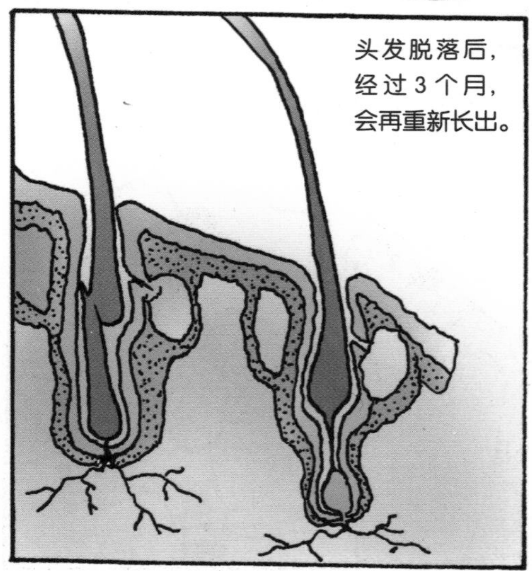
头发脱落后，经过3个月，会再重新长出。

发根旁的毛囊里有皮脂腺，所产生的油性分泌物能够润泽头发。如果分泌过盛，会形成大量的头皮屑。
别加太多，免得生头皮屑。
我提供天然润丝精。

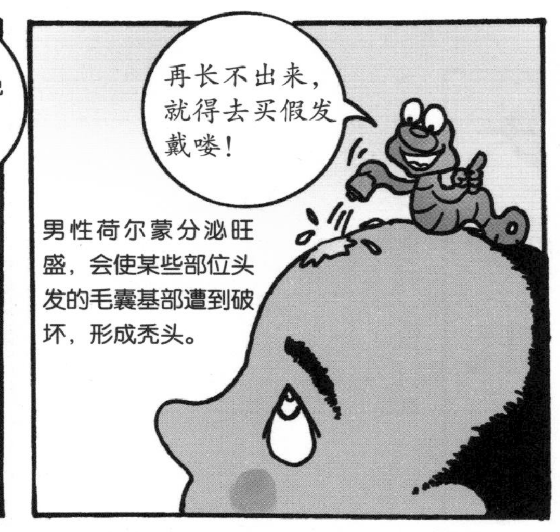
再长不出来，就得去买假发戴喽！
男性荷尔蒙分泌旺盛，会使某些部位头发的毛囊基部遭到破坏，形成秃头。

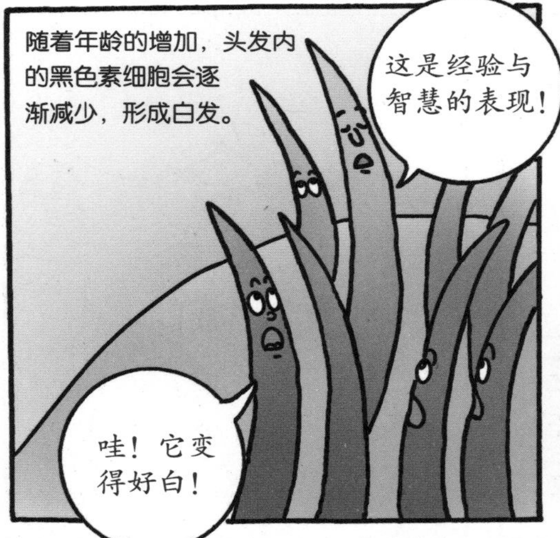
随着年龄的增加，头发内的黑色素细胞会逐渐减少，形成白发。
这是经验与智慧的表现！
哇！它变得好白！

拔掉一根头发，至少需要 50 克的力量，若要一次拔除成簇的头发，则需上百千克的力量。
哇！果然团结就是力量。

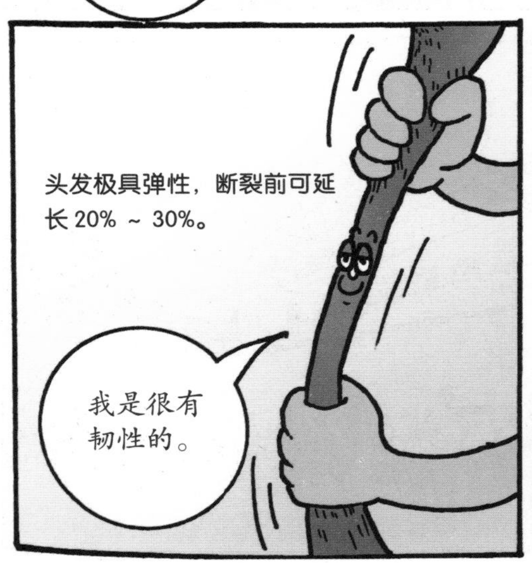
头发极具弹性，断裂前可延长 20% ~ 30%。
我是很有韧性的。

为了保持头发的健康，一定要适时地加以清洗整理。

三千烦恼丝？

●通常，男人的头发约有 10 万根，女人则有 12 万根，平均每平方厘米的头皮上有 120 ~ 240 根头发。古人所谓的「三千烦恼丝」，是形容烦恼像头发那样又乱又长，并不是指头发只有三千根。●一般东方人头发的长度极限为 80~100 厘米；白人则为 55 ~ 60 厘米；黑人最短，只有 25 ~ 40 厘米。●为适应不同气候，头发的生长方式也不一样。例如非洲黑人的卷曲型头发会形成空气流通网，缓冲太阳的热气，而且不会垂下妨碍颈部和肩部的发汗。至于东方人的直线型头发及西方人的波浪发型，功能恰与非洲人相反，具有保暖的作用。

大开眼界

用法：形容开拓视野，增长见闻。

元朝有个商人带着儿子及家仆前往大都旅游。

过了这座卢沟桥，就是大都了。
这座桥好壮观啊！
元朝首都大都——
哇！好热闹呀！

客人，
里边坐。
爽口的糖
葫芦！
我们去吃
蒙古烤肉，
好吗？
来吃香喷
喷的烤肉。
蒙古
烤肉
饭
布

这是戏院，
想不想进去
看戏？
看戏？
好呀！
上演
西厢记

爹，这趟大都
之旅，我真是
大开眼界呀！
只要你喜欢，
爹还可以带你
到其他地方。

狼是最讲求速度的。可是自从它认识了骆驼以后，它的人生观变得宽阔多了：原来速度不是前进的唯一法宝，毅力和耐力也是很重要的。

人类的眼睛有点像照相机。
这玩意儿构造挺复杂的。

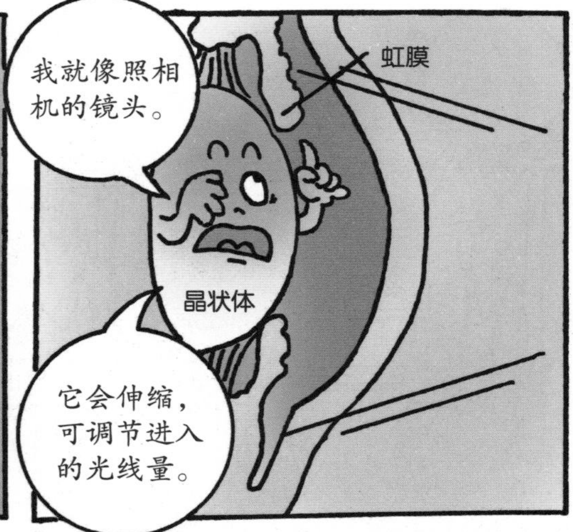
我就像照相机的镜头。
虹膜
晶状体
它会伸缩，可调节进入的光线量。

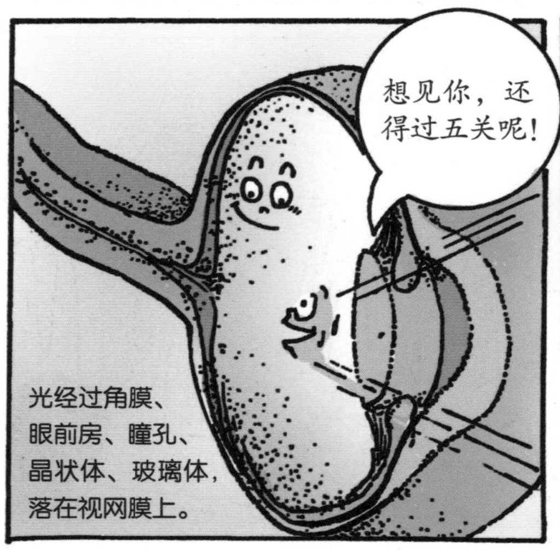
想见你，还得过五关呢！
光经过角膜、眼前房、瞳孔、晶状体、玻璃体，落在视网膜上。

成人的视界可达 200°，小孩则只有 160°，因此容易出车祸。

除了光线强弱的影响，人类的眼睛看到很喜爱的事物时，瞳孔会放大。

看到厌恶的东西时，会缩小。

睫毛和眉毛都具有保护眼睛的功能。
下有重地，敬请改道。
头皮屑滚一边去！

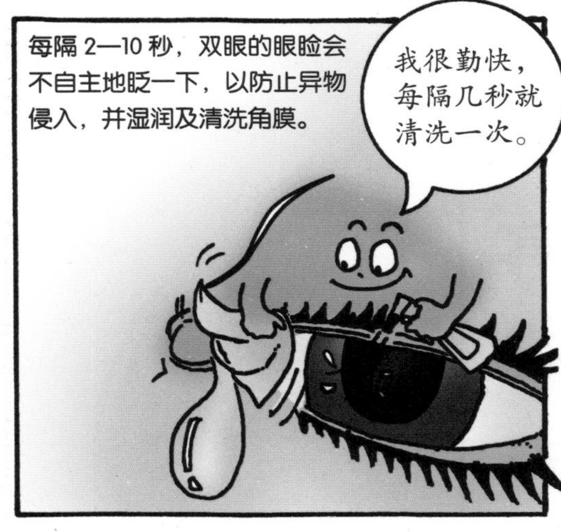
每隔 2—10 秒，双眼的眼睑会不自主地眨一下，以防止异物侵入，并湿润及清洗角膜。
我很勤快，每隔几秒就清洗一次。

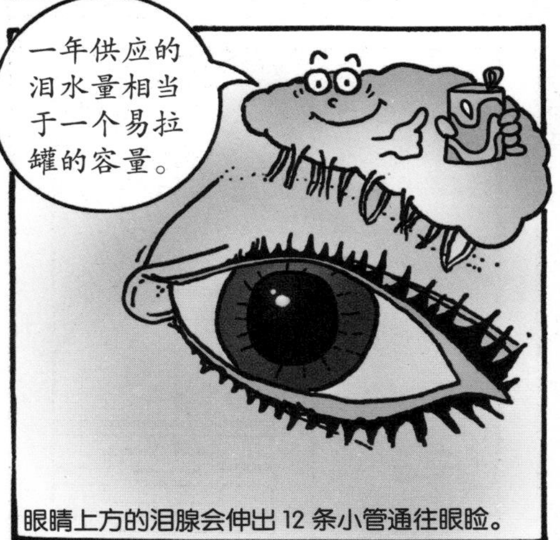
一年供应的泪水量相当于一个易拉罐的容量。
眼睛上方的泪腺会伸出 12 条小管通往眼睑。

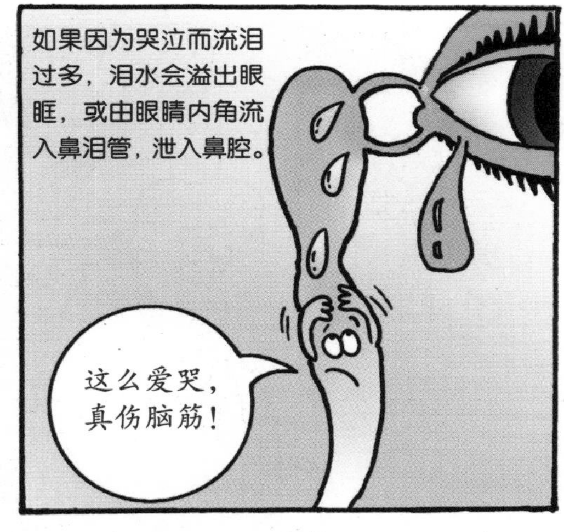
如果因为哭泣而流泪过多，泪水会溢出眼眶，或由眼睛内角流入鼻泪管，泄入鼻腔。
这么爱哭，真伤脑筋！

用不干净的手擦揉眼睛，会使眼睑的油脂腺感染化脓性细菌，造成沙眼。
哎呀！不要揉了，越揉越糟！

眼睛是我们的心灵之窗，必须妥善照顾才行。
爱眼就要保持清洁、姿势端正、多休息。

心灵之窗——眼睛

●人类眼睛虹膜中的色素会因人种及个人的不同，而有差异。通常，色素较丰富的，虹膜呈茶褐色；色素较缺乏的呈蓝色。●眼前房水的流动通畅时，眼球内部会保持一定的压力。如果眼压不正常，眼球内的血液循环会变差，导致视神经的功能恶化。●视觉中心分左右两侧，左侧负责看影像的右半部，右侧则负责左半部；最后左右两侧再合并成整体的影像。●近视眼镜片是凹透镜，能拉长焦距；远视眼镜片为凸透镜，能缩短焦距，使影像准确地落在视网膜上。

震耳欲聋

用法：形容声音很大。

眉山上有座远离
尘嚣的寺庙。

庙中住着长眉
法师和一位小
徒弟。

庙里有一口
老钟，每当
山风吹起，便
会嗡嗡作响。

小徒弟每月按时
下山采购——
早点
回来呀！
是的，
师父。

长眉法师继续
念佛——

小徒弟下山后，见人赌骰子，一时兴起，加入赌局。
六呀！
太白居
酒

快还钱！否则要你好看！

庙里有口很值钱的老钟。

如果骗我，你就死定了。
不敢啦！

这口钟能卖不少钱呀！

半路刮起一阵山风，钟口响起长眉法师震耳欲聋的念佛声，恶霸们闻声掩耳倒地，仓皇逃走。
阿弥陀佛

霹雳龙是个大嗓门。每到晚餐时间，它都要走到门口，冲着广场的方向对着正玩得兴高采烈的小霹雳龙大吼一声：『回——来！吃饭了！』小朋友们都受不了它的声音，实在太大、太吵。所以只要它在黄昏时往门口一站，话尚未吼完，大家都已经逃回家里，剩下小霹雳龙还在那里发愣。

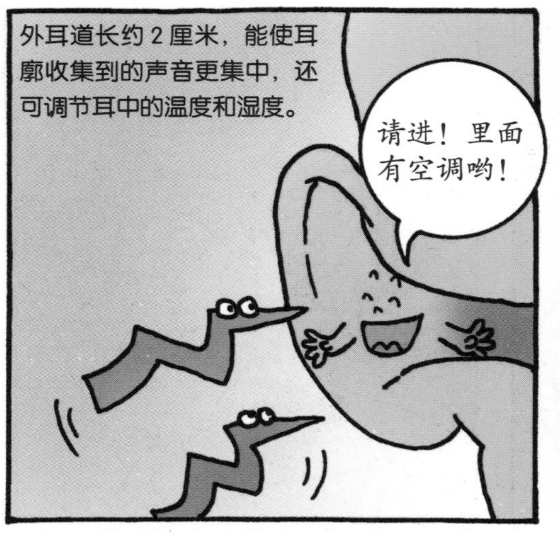
外耳道长约 2 厘米，能使耳廓收集到的声音更集中，还可调节耳中的温度和湿度。
请进！里面有空调哟！

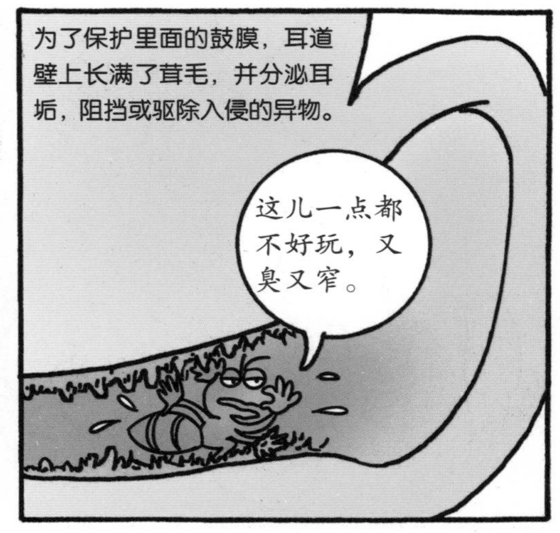
为了保护里面的鼓膜，耳道壁上长满了茸毛，并分泌耳垢，阻挡或驱除入侵的异物。
这儿一点都不好玩，又臭又窄。

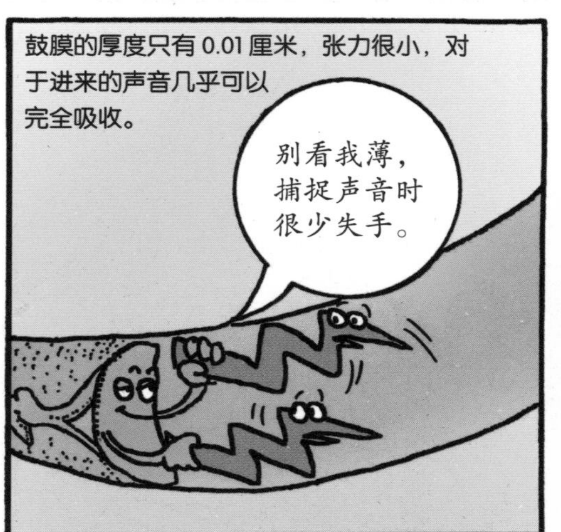
鼓膜的厚度只有 0.01 厘米，张力很小，对于进来的声音几乎可以完全吸收。
别看我薄，捕捉声音时很少失手。

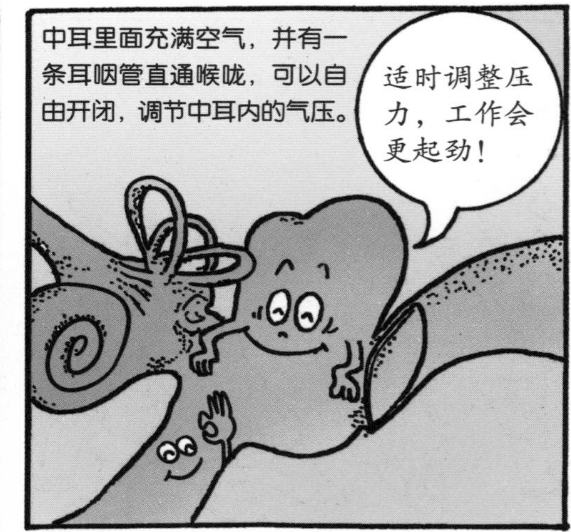
中耳里面充满空气，并有一条耳咽管直通喉咙，可以自由开闭，调节中耳内的气压。
适时调整压力，工作会更起劲！

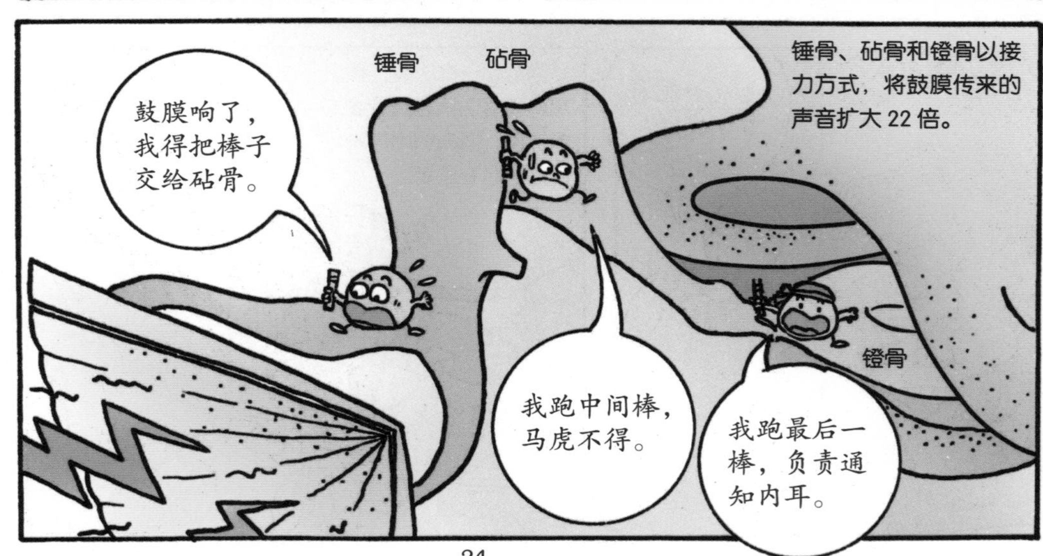
锤骨
砧骨
锤骨、砧骨和镫骨以接力方式，将鼓膜传来的声音扩大 22 倍。
鼓膜响了，我得把棒子交给砧骨。
镫骨
我跑中间棒，马虎不得。
我跑最后一棒，负责通知内耳。

内耳中的耳蜗充满了液体，声音引起的液压波触动蜗内壁上的毛状听觉细胞，将讯息传给脑部。

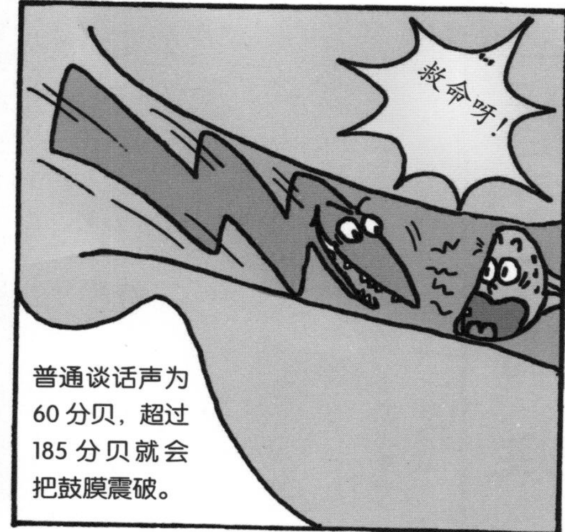
救命呀！

普通谈话声为60分贝，超过185分贝就会把鼓膜震破。

如果长期暴露在过量而持续的噪音中，会产生头昏、呕吐的现象。

有虫子爬进耳朵时，要用手电筒照射，引它爬出来。

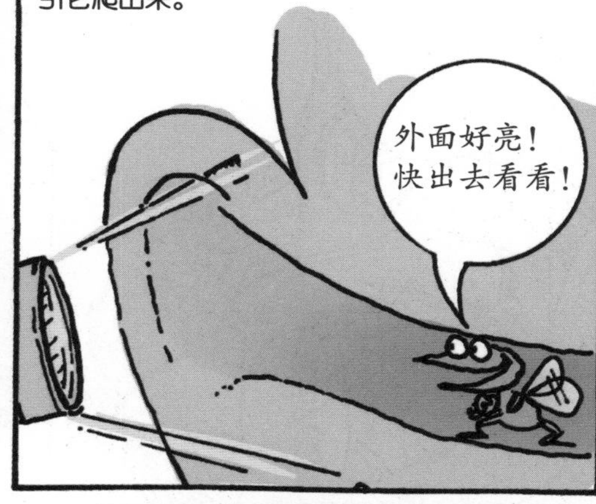
外面好亮！
快出去看看！

听力从出生后开始衰退，越老听力越差。

别过来！
我讨厌你！

吃饭啦！
你说什么？

最高级的音响：耳朵

●声音总是先到达一只耳朵，然后再到达另一只，而且，先听到的那只耳朵所接收到的声音强度会比另一只大。●大脑能够辨别两只耳朵收到的声音的微小差异，并加以计算，以判断声源的所在。●每种声音都有不同的振动波形，所以由此可分辨出人声、鸟啼等等。●中耳里的镫骨是人体中最小的骨头。●内耳虽然只有核桃那么大，里面包含的线路却和大城市的电话线路一样复杂。●内耳中有3个半规管，互相垂直，分别控制人体的上下、左右及前后平衡感。

唇亡齿寒

注释：嘴唇没了，牙齿就要受到风寒。
用法：比喻彼此关系密切，互相依靠。

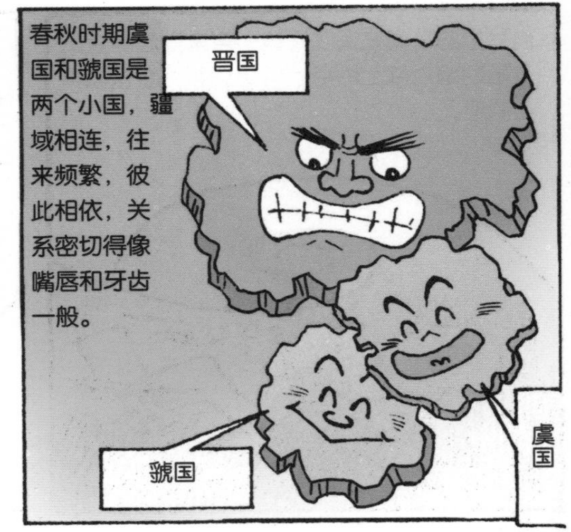
春秋时期虞国和虢国是两个小国，疆域相连，往来频繁，彼此相依，关系密切得像嘴唇和牙齿一般。
晋国
虞国
虢国

晋国宫内——
下个目标进攻虞国和虢国。
先打虞国，怕虢国兵援；若攻虢国，就得向虞国借路。

虞公那个人很爱财，只要送些东西给他，很好打发的。
那就好办！我们就借路先打虢国。

这是送给您的礼物，请笑纳。并请借给敝国通往虢国的道路。
哈哈——
宝石名驹正是我所爱的。你要借路，没问题！

宫之奇家
大王出卖虢国了……
大王怎么可以见利忘义呢！借路给晋国打虢国，简直是引狼入室。

大王，虞国和虢国就像唇和齿一样相互依赖，万万不可借路给晋国呀！
你少啰唆！晋国是个讲信义的大国，不会忘恩负义的。

虞
大王不接受劝告，我只好离开。

晋军轻易地打败虢国。
晋
虢

酒
晋
虞人真不知死活，不知大祸临头！
酒

晋
唉！不该不听宫之奇的劝告。

再也没有人比鹿爷和鹿婆关系更密切的了。它们虽然已结婚70年了，但是依然相互照顾—鹿爷双眼在前年失明，鹿婆的脚在去年中风。鹿爷扶持着鹿婆，鹿婆告诉鹿爷方向。它们都认为对方比自己重要。

嘴唇是人类消化系统及发声系统的第一关。
声带出来的声音，经我调整后更好听！
要吃饭，还得由我先开动呢！
嘴唇对温度的感觉比手还灵敏。
宝宝发烧了……
用嘴唇量体温，聪明！
室内空气干燥、寒风吹袭或生病时，嘴唇常会干裂。
再不喝水就要皮开肉绽了！
病好了，裂缝就会愈合的。
有些婴儿不幸形成兔唇，可以用手术加以缝合。
我也想去动个手术……
嘴唇的颜色通常比周围皮肤深。有些人还擦口红，强调嘴部的特征。
好可怕！
在非洲还有妇女把圆形木栓塞进下唇，据说是为了表现地位。

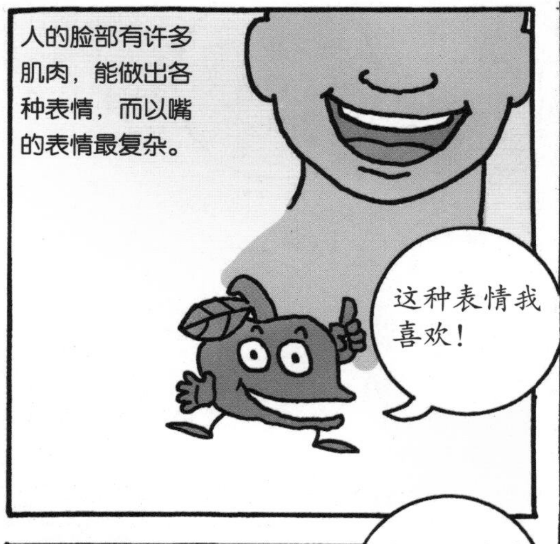
人的脸部有许多肌肉，能做出各种表情，而以嘴的表情最复杂。
这种表情我喜欢！

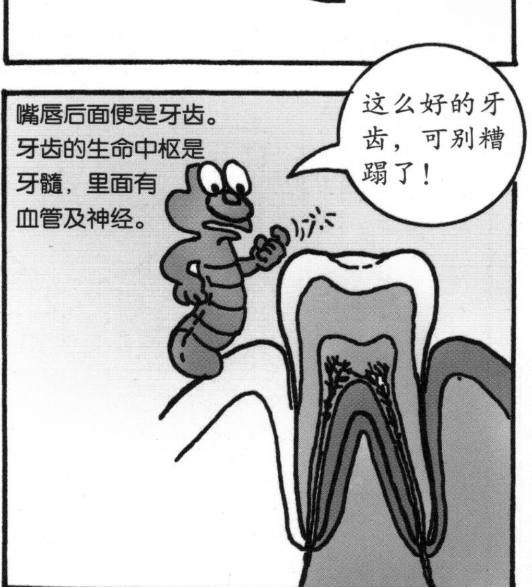
嘴唇后面便是牙齿。牙齿的生命中枢是牙髓，里面有血管及神经。
这么好的牙齿，可别糟蹋了！

牙齿的生长：
①牙床皮肤下固定的细胞为基础。
②形成硬的组织。
③开始成长。
④最后，露出牙龈外。

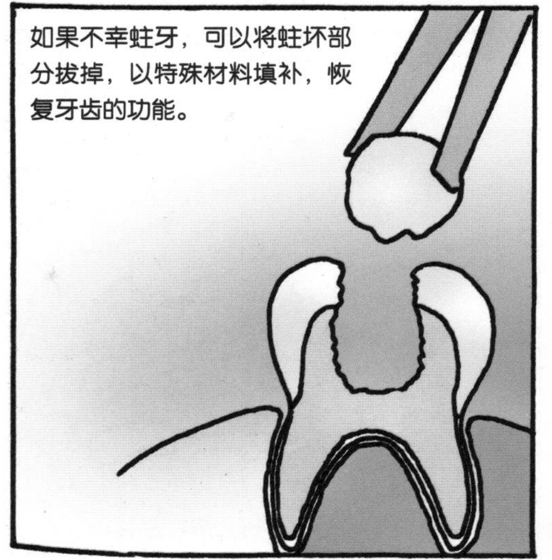
如果不幸蛀牙，可以将蛀坏部分拔掉，以特殊材料填补，恢复牙齿的功能。

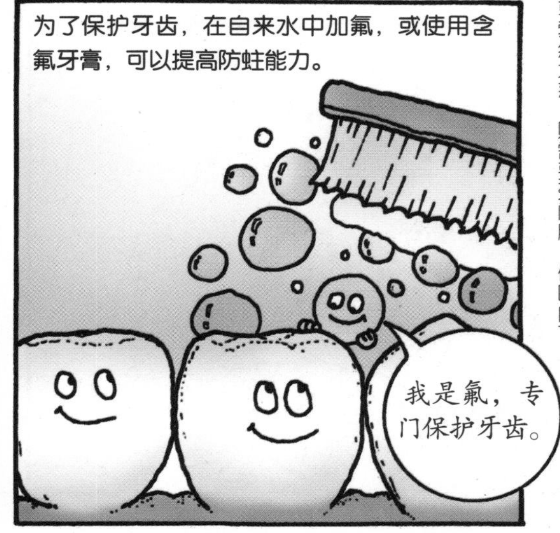
为了保护牙齿，在自来水中加氟，或使用含氟牙膏，可以提高防蛀能力。
我是氟，专门保护牙齿。

表情丰富的演员

●嘴部的肌肉，会因情绪的改变，而有千变万化的各种表情。●嘴唇四周是强劲有力的环形肌肉，收缩时，嘴就会闭上。●提肌能使上唇被提起，做出哀伤或轻蔑的表情。●面颊肌能把嘴角向后上方拉开，展现笑容。●口三角肌将嘴角往下拉，呈现悲伤的表情。●降肌能把下唇拉低，以表示不屑或嘲弄。●中央提肌能抬高下唇，同时使下唇向前，而表露出挑衅的神情。●喇叭肌能使面颊内缩而贴合牙齿，凡是吹口哨、演奏管乐器、咀嚼食物都得靠它。●痛、受惊或勃然大怒，则需要颈阔肌，使嘴向下或向左右拉开。

咬紧牙关

用法：形容一个人强忍痛苦打击，坚持到底。

韩信年轻时，家里穷，寄居亭长家打杂吃喝——
长得这么魁梧，却是只寄生虫。

有一天，亭长太太一早起来做饭。
做好饭搬回房内，才不给那家伙吃呢！

吃饭时间到了，韩信来到厨房发现没有饭菜。
他们真的嫌弃我，也罢，不如离开。

韩信为了填饱肚子，来到河边钓鱼。

到了中午，韩信饥饿地看着别人吃饭。

韩信的馋相，被一妇人瞧见，就拿饭给他吃。
我将来一定会报答您。

带着剑了不起呀！有种，
比划比划；不然，就从我胯下爬过去！

他们人多，我斗不过。
再说，我另有大志，急须去完成，咬紧牙关，忍一忍吧……
有种，斗啊！
没种，就钻吧！

胆小鬼！孬种！

韩信后来投靠刘邦，凭自己的才能，受封淮阴侯——

燕子在衔草筑巢的途中，被一个玩弹弓的小孩打中尾巴。当它逃离之后，还是不停地继续筑巢。因为它想在暴风雨来临之前把巢建好，好让自己有个挡风避雨的窝来养伤。

远古时代，人类的牙齿主要是承担撕咬的工作。
这个好吃！

后来，双手及刀叉等工具也承担部分切割工作，使牙齿略微退化。
这样吃才有格调！

幼童的乳牙共 20 颗，6—10 岁间换成恒齿，恒齿脱落便不会再长。
我正在换牙，其实我很漂亮！
这下再也长不出来了……

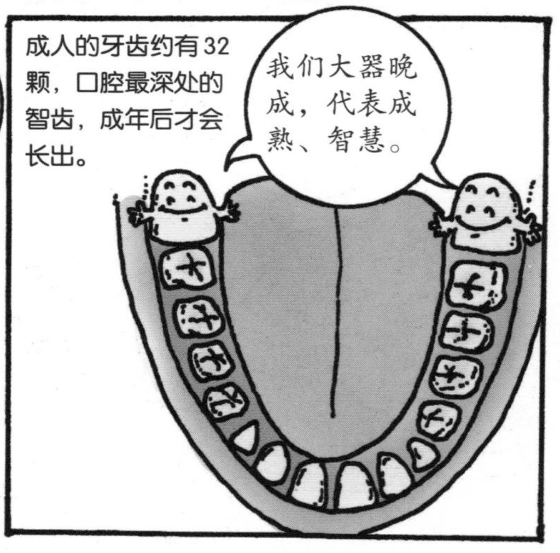
成人的牙齿约有 32 颗，口腔最深处的智齿，成年后才会长出。
我们大器晚成，代表成熟、智慧。

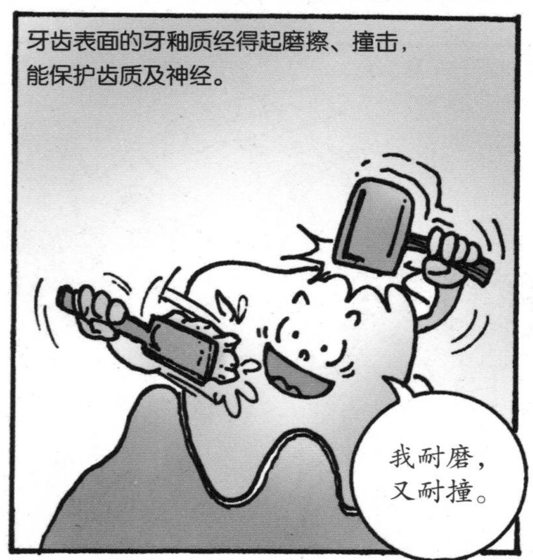
牙齿表面的牙釉质经得起磨擦、撞击，能保护齿质及神经。
我耐磨，又耐撞。

面临痛苦或集中全力时，常会咬紧牙关，此时臼齿的咬合力高达 70 千克。

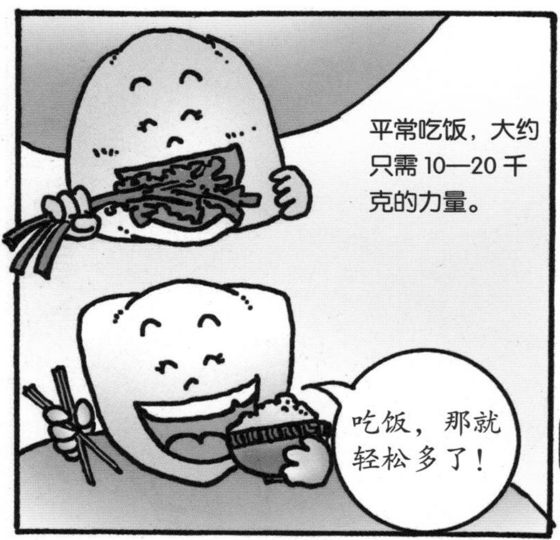
平常吃饭，大约只需10—20千克的力量。
吃饭，那就轻松多了！

其中门齿、犬齿分别用来切断及撕裂食物。
我们是最佳拍档！

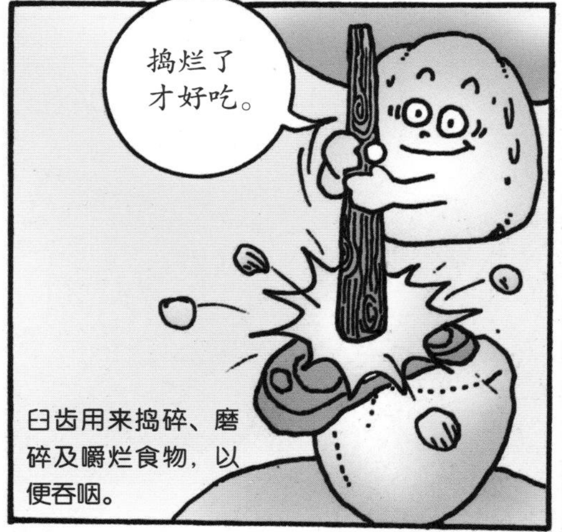
捣烂了才好吃。
臼齿用来捣碎、磨碎及嚼烂食物，以便吞咽。

牙缝中残留的食物会形成牙垢，是细菌最佳的繁殖温床。
有吃又有住，真舒服！

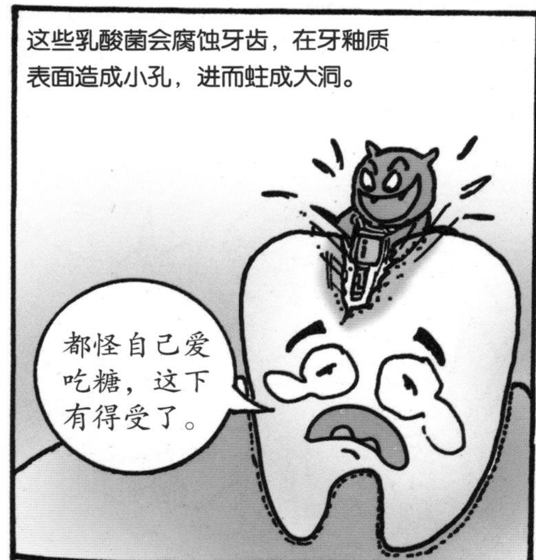
这些乳酸菌会腐蚀牙齿，在牙釉质表面造成小孔，进而蛀成大洞。
都怪自己爱吃糖，这下有得受了。

随时保持牙齿的清洁，才能预防蛀牙。

汰旧换新装点门面

●婴儿的乳牙从母亲怀孕第5星期开始发育，出生后第9个月开始长出，大约6岁时陆续换牙。●最先长出的恒齿是在乳臼齿后面的第一大臼齿，它常被误认为是乳牙而不加保养，所以蛀牙率最高。●恒齿的最后四颗是智齿，但有些人会有几颗不长的现象，甚至终生不长智齿，所以每个人的牙齿是28—32颗不等。●换牙时脱落的乳牙没有牙根，会在一定时间内自行溶解，以便恒齿生长。如果换牙时，乳牙被蛀，导致牙髓死亡，乳牙就无法溶解，成为堆积牙垢、细菌的地方。●牙齿保健，最重要的是饮食习惯的改良。注意食物中矿物质、维生素和蛋白质的调和，以及酸碱的平衡，避免吃过多的糖分，要多吃水果及含有纤维素的蔬菜。

望梅止渴

用法：比喻用空想来安慰自己。

有一年夏天，曹操率军路过一处一望无际的旷野。
魏

真热！
快被晒成人干了！

别无精打采的，继续前进！

为什么不休息一下呢？
我们在日落前得到达目的地。这儿没树，不走一样会被晒的！

完了！我的水喝光了！
我的也没了，这儿草木不生，到哪里去找水呢？

又渴又累，再也走不动了……

得想个办法才行。

有了！

前面有梅子林，梅子既酸又甜，可以解渴，大伙快往前走呀！

老哥快起来，咱们去喝酸梅汤！

曹操又重整队伍，奋勇前进，不久果然看见了一片梅林——
可爱的酸梅！万岁！

野猪一家七口实在太穷了。后来猪妈妈在晚餐的时候，想到一个法子。她把一块腌得过咸的肉放在桌上，并命令大家不可动手去夹，只能看一眼肉，扒一口饭。饭没了，就用看的，一直看到饱为止。

人类的舌头上布满了9000—10000个味蕾，具有辨别味道的作用。
我们是一群尽职的品尝师。
味蕾对干燥的食物完全没有感觉，必须经过唾液的湿润，才会发生作用。
少了唾液的滋润，我对你没兴趣！
口腔中有腮腺、颌下腺、舌下腺三对唾液腺，每天分泌1~1.5升的唾液。
这些唾液相当于2瓶啤酒的量。
唾液除了帮助辨别味道，还可润滑食物，便于吞咽。
哇！有点像在冲浪！
一朵小花
喉咙与声带经过唾液的润滑，发出的声音会更悦耳。
渴死我了！
唾液也能将食物中的淀粉分解成麦芽糖，帮助消化。
在送进胃里之前，先做柔软体操。

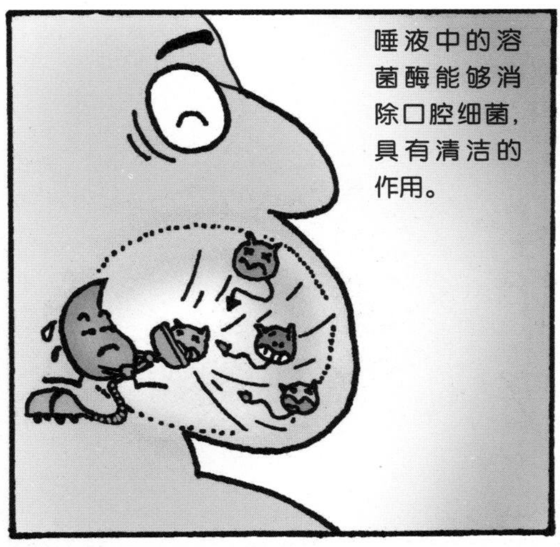
唾液中的溶菌酶能够消除口腔细菌，具有清洁的作用。

微碱性的成分可减轻酸类对牙齿牙釉质的侵害。
爱她，就要随时保护她。

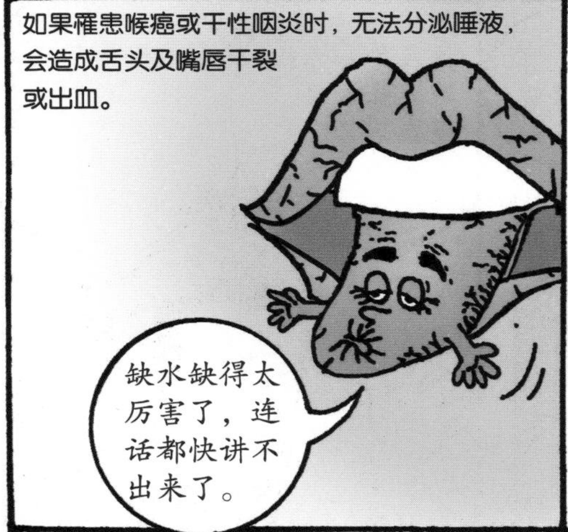
如果罹患喉癌或干性咽炎时，无法分泌唾液，会造成舌头及嘴唇干裂或出血。
缺水缺得太厉害了，连话都快讲不出来了。

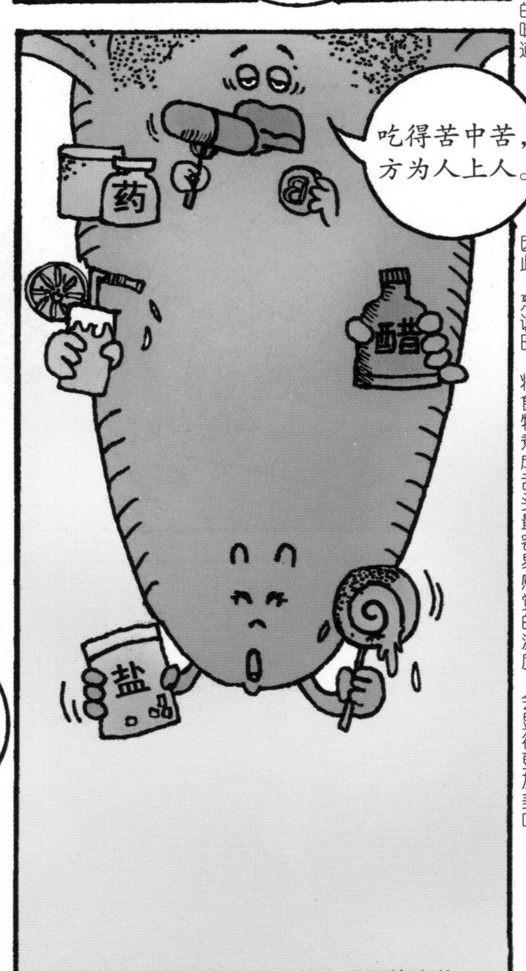
吃得苦中苦，方为人上人。
药
醋
盐
人的舌头可以辨别酸、甜、苦、咸四种味道，感应部位依序是舌头两侧、舌尖、舌根、舌尖。

大脑会记住以前尝过的食物的味道，下回看到或想到时，会命令唾液腺分泌唾液。
好好吃的酸梅呀！

美食的品尝家

●舌头是由骨骼肌纤维纵横交织而成的肌肉性器官，在口腔之中可自由自在地咀嚼及吞咽食物。舌头另外的一个重要功能，在于感觉味道。●舌头表面的黏膜上长着许多称为乳突的小突起。这些乳突间的沟壁上，排列着许多司味觉的味蕾。●味觉是食物的微细颗粒，与味蕾的感觉细胞接触，产生刺激而出现。这些感觉细胞有四种，可以分别感觉出甜、苦、咸、酸。食物的味道就是由这四种感觉混合而成的。●吃了很多甜点后，甜的感觉会愈来愈弱，这是因为甜味的感觉细胞疲劳，所以功能也逐渐减退。●食物的味道，也会随温度而产生变化，太热或太冷都无法完全品尝出食物的味道。因此，烹调时，将食物煮成舌头最容易感觉的温度，会显得更加美味。

嗤之以鼻

注释：嗤，轻视嘲笑。嘲笑别人时气从鼻孔中出来，表示轻视的意思。

用法：形容轻视、瞧不起的样子。

话说金攻下汴京，赵构在杭州建立南宋，和大臣商议——
我们应该击退金兵，收复汴京。

陛下，您的看法呢？
不，江南物产丰富，最好留下来。

这几年东奔西跑地躲金兵，现在总算安定下来……
如果和金作战再失败，我们就无路可逃了。朕希望和谈……

啊！这……
嘿……嘿……

秦桧私通金国，接受贿赂。
这一点小礼物，请收下。
哈哈哈——回去告诉贵国国君，说宋皇已答应讲和了。

后来，金兵破坏和约，侵犯南宋。岳飞奉命出兵作战——
岳

岳飞率军击败金兵，趁机展开反攻。
岳
金

岳飞军营——
什么？陛下要求退兵？我们正想收回汴京呢！
都是秦桧那奸臣在游说！

南宋朝廷中——
岳飞坚持不肯回来？
是啊！明明企图造反嘛！不杀岳飞，金不和谈。

不久岳飞被押解回朝——
你为什么污蔑我企图造反？
你——你三番五次违抗退军令，就是证据。

哼！应该说是我阻碍了你同金的和谈吧！

猪最瞧不起别的动物，它最爱用鼻孔看人，再把头抬得高高的，一副自高自大的模样。谁知道，它鼻孔愈来愈大，鼻子愈来愈肥。唯一不变的是它依旧瞧不起人。

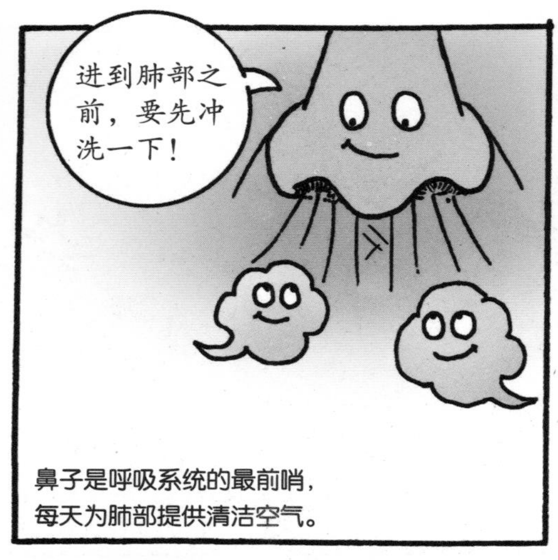
进到肺部之
前，要先冲
洗一下！
鼻子是呼吸系统的最前哨，
每天为肺部提供清洁空气。

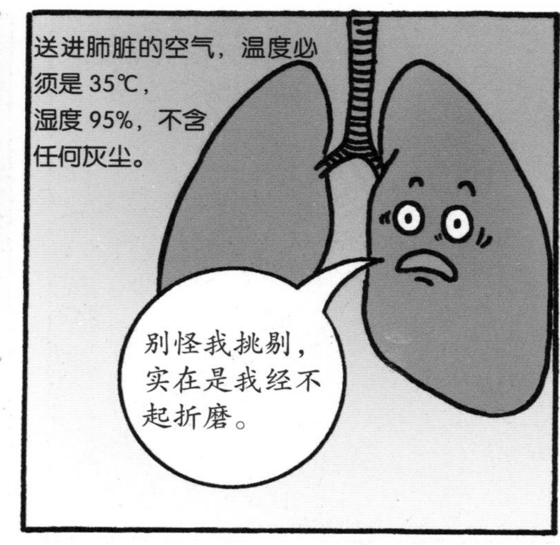
送进肺脏的空气，温度必
须是35℃，
湿度95%，不含
任何灰尘。
别怪我挑剔，
实在是我经不
起折磨。

好不容易闯
过鼻毛阵，
这下却又被
黏住了！
为了过滤空
气，较粗的
鼻毛会挡住
大型异物，
鼻腔内的黏
膜每天分泌
约1升黏液，
湿润空气，
黏住灰尘与
细菌。

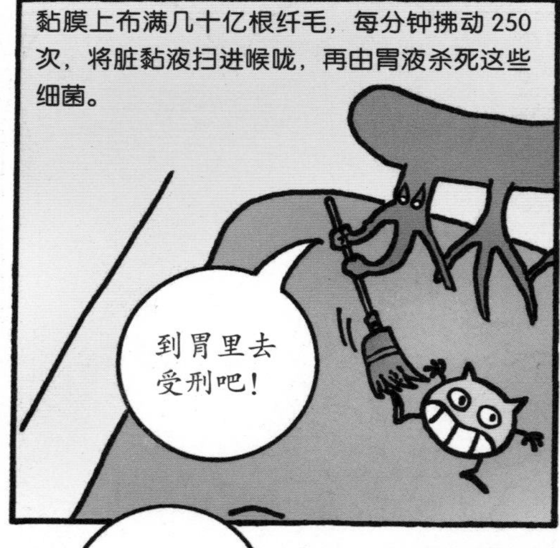
黏膜上布满几十亿根纤毛，每分钟拂动250
次，将脏黏液扫进喉咙，再由胃液杀死这些
细菌。
到胃里去
受刑吧！

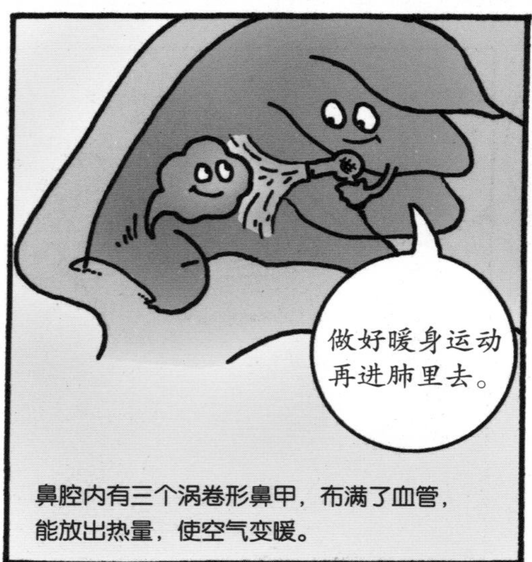
做好暖身运动
再进肺里去。
鼻腔内有三个涡卷形鼻甲，布满了血管，
能放出热量，使空气变暖。

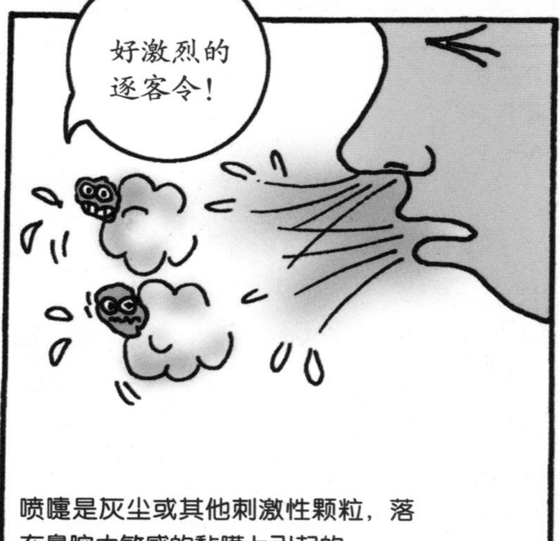
好激烈的
逐客令！
喷嚏是灰尘或其他刺激性颗粒，落
在鼻腔内敏感的黏膜上引起的。

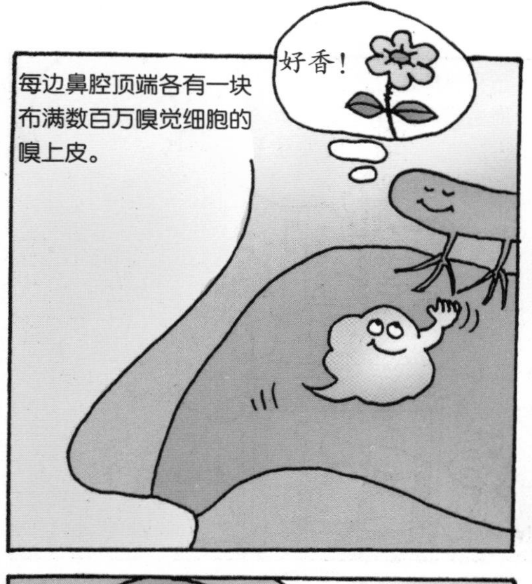
每边鼻腔顶端各有一块布满数百万嗅觉细胞的嗅上皮。
好香！

嗅觉比味觉灵敏一万倍，感冒时鼻子不通就好像失去味觉，其实是闻不到食物的气味。

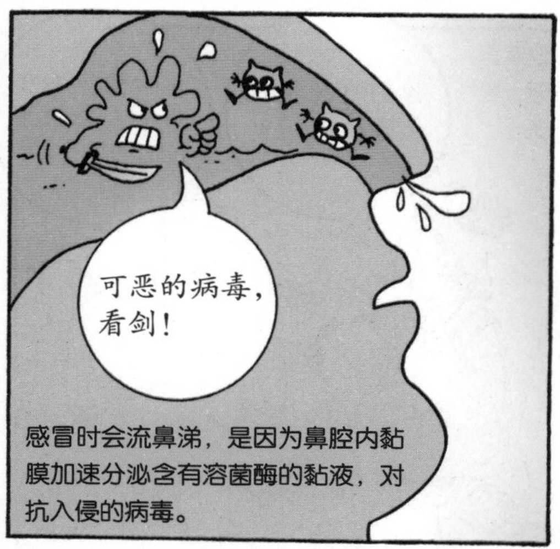
可恶的病毒，看剑！
感冒时会流鼻涕，是因为鼻腔内黏膜加速分泌含有溶菌酶的黏液，对抗入侵的病毒。

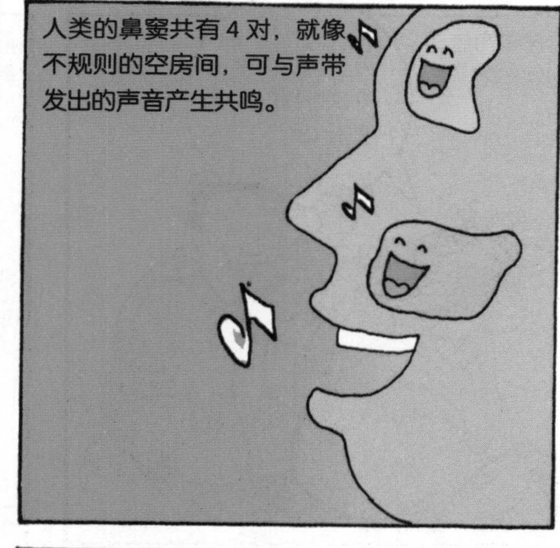
人类的鼻窦共有4对，就像不规则的空房间，可与声带发出的声音产生共鸣。

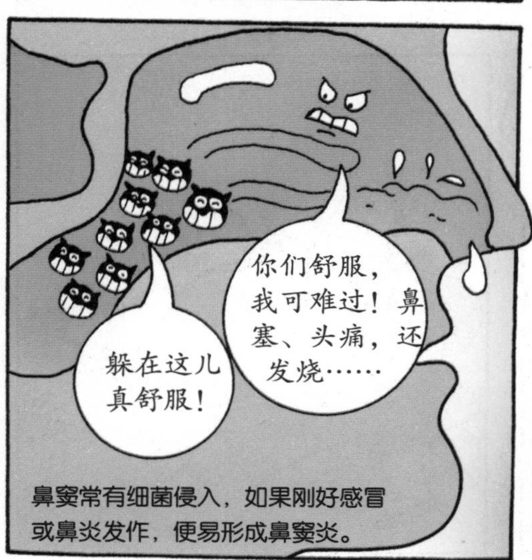
你们舒服，我可难过！鼻塞、头痛，还发烧……
躲在这儿真舒服！
鼻窦常有细菌侵入，如果刚好感冒或鼻炎发作，便易形成鼻窦炎。

为了保护鼻子的健康，遇到空气污浊时，要戴上口罩；也不要用手挖鼻孔，以免感染细菌。

身体的空气调节器

●鼻子除了收集嗅觉信息（例如：预示危险的烟味，刺激胃口的饭菜香味），还为呼吸系统进行空气调节。●鼻子每天处理大约14立方米的空气，等于一个小房间的容积。它过滤掉空气中的尘埃、捕捉细菌，把空气加热到血液的温度以及增加空气中的水分。●鼻子还能做发声系统的共鸣箱，使声音圆润、洪亮。●从构造来说，鼻子的外形、位置非常合适。凸出的外形，使呼吸十分方便；长在嘴巴上方，使嗅觉细胞便于闻到食物的气味，可以补充舌头上味蕾所获得的信息。

肝胆相照

用法：比喻朋友间真诚相待。

孔方和高信是一对志同道合的好朋友。
我们一起做生意！
一言为定！

孔方家中有老母亲和他相依为命。
高信这个人踏实勤快，娘很放心。

高信家里养有一妻一子。
你们有把握把生意做好吗？
放心吧！我们两个人都很有信心。

你要养妻养子，应该多分一些。
你也要养母亲呀！我这份够用了。

有一天，两人一起出远门去进货。

途中，孔方生病，
高信背着他去求医。
安和堂诊所

还在客栈里煎药，照顾他。

不幸的是强盗来到这个村庄——
把身上值钱的东西拿出来！

听说强盗来了，为了你的安全，你还是逃命要紧。
你身染重病，我不能丢下你不管呀！

村人都跑了，你们还敢留在这里？
要杀杀我，别伤他！他还要照顾妻小。
你长得这么健壮，为什么不好好工作，偏要抢劫呢？

你们两个肝胆相照，患难相扶持，真令人感动……

云和花是好朋友。花说：『你伤心难过时，就尽管掉泪吧！我将用花瓣盛你的泪。』有一天花谢了，云就用彩虹迎接她们上花乡天堂，并且还一边流泪，一边微笑。

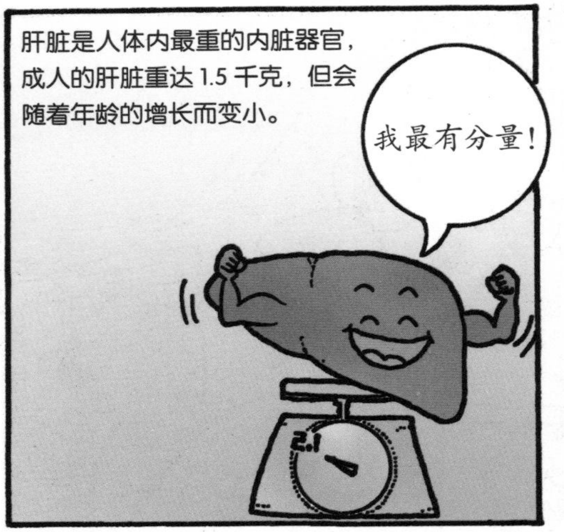
肝脏是人体内最重的内脏器官，成人的肝脏重达 1.5 千克，但会随着年龄的增长而变小。
我最有分量！

肝脏具有 500 多种功能，是人体的化工厂，无法以任何人造器官代替。
真不简单！

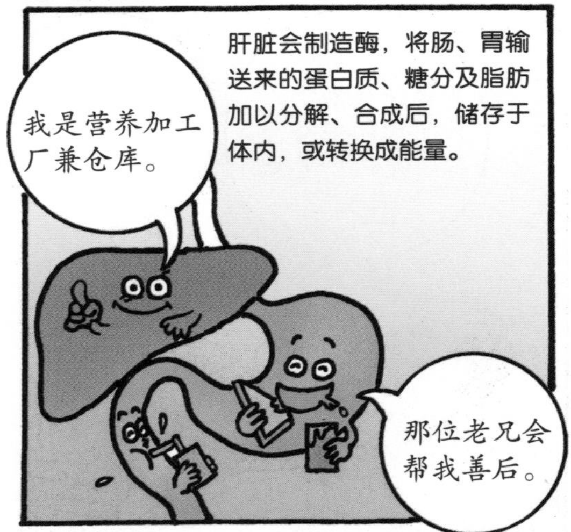
肝脏会制造酶，将肠、胃输送来的蛋白质、糖分及脂肪加以分解、合成后，储存于体内，或转换成能量。
我是营养加工厂兼仓库。
那位老兄会帮我善后。

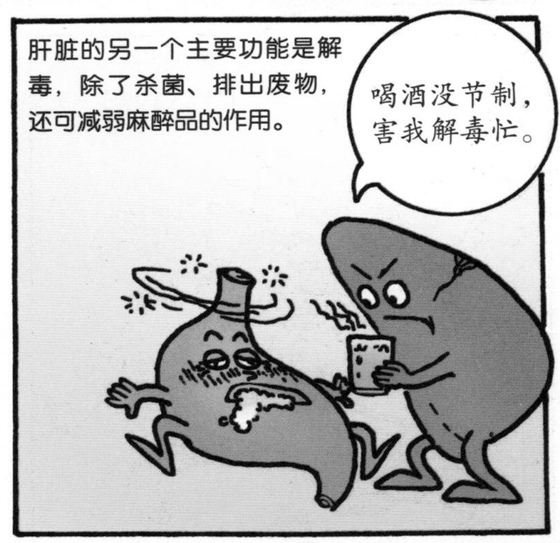
肝脏的另一个主要功能是解毒，除了杀菌、排出废物，还可减弱麻醉品的作用。
喝酒没节制，害我解毒忙。

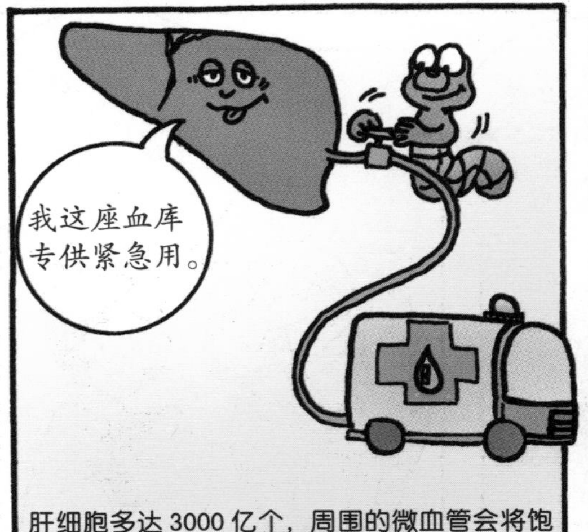
我这座血库专供紧急用。
肝细胞多达 3000 亿个，周围的微血管会将饱含氧气和养分的大量血液输送过来。

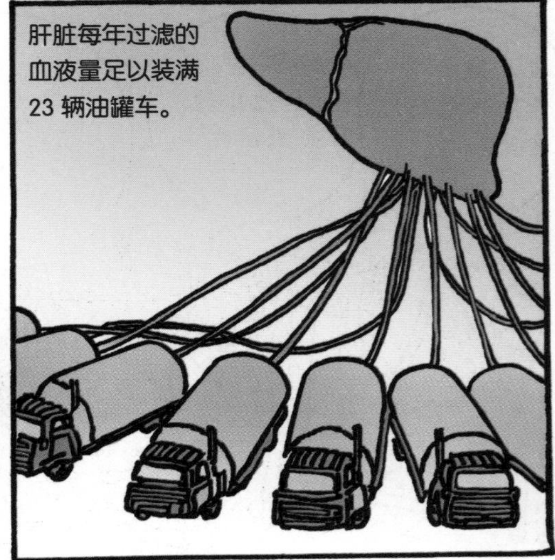
肝脏每年过滤的血液量足以装满 23 辆油罐车。

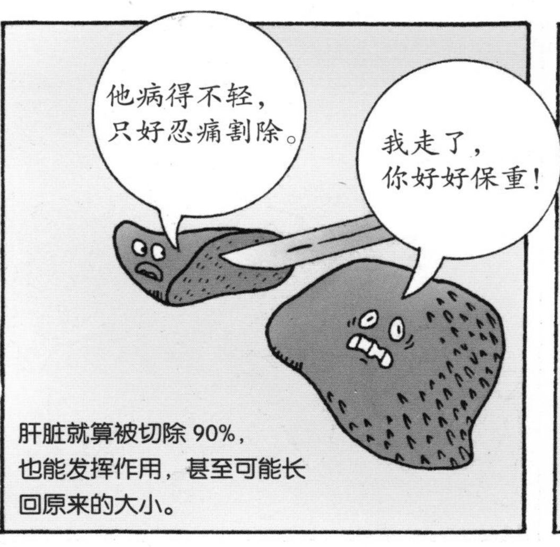
他病得不轻，
只好忍痛割除。
我走了，
你好好保重！
肝脏就算被切除 90%，
也能发挥作用，甚至可能长
回原来的大小。

肝硬化时，肝细胞会慢慢死
亡，而由逐渐增加的纤维质
取代，使肝脏硬化、萎缩。
这么好的器
官怎会如此
下场？

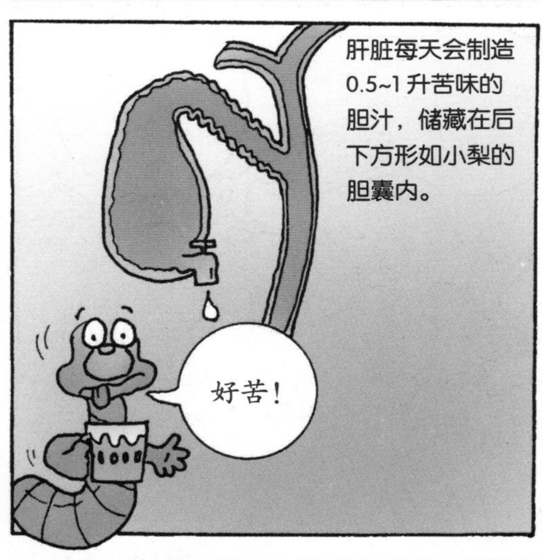
肝脏每天会制造
0.5~1 升苦味的
胆汁，储藏在后
下方形如小梨的
胆囊内。
好苦！

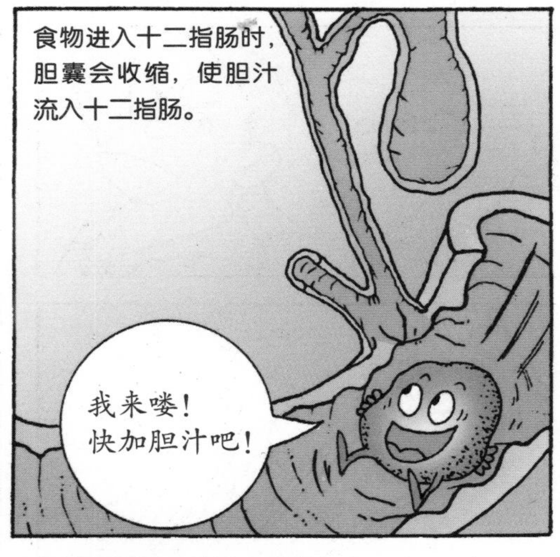
食物进入十二指肠时，
胆囊会收缩，使胆汁
流入十二指肠。
我来喽！
快加胆汁吧！

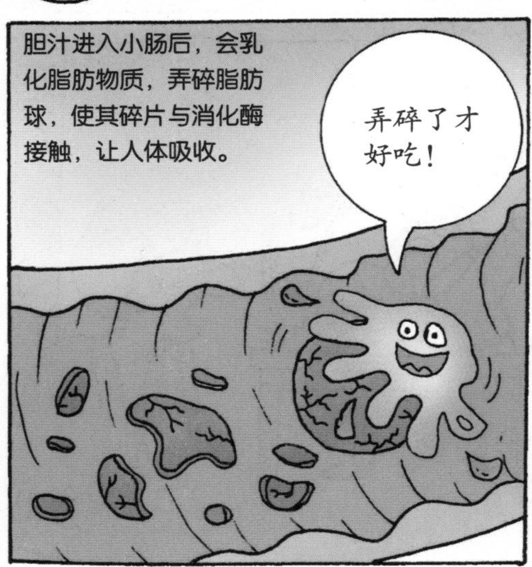
胆汁进入小肠后，会乳
化脂肪物质，弄碎脂肪
球，使其碎片与消化酶
接触，让人体吸收。
弄碎了才
好吃！

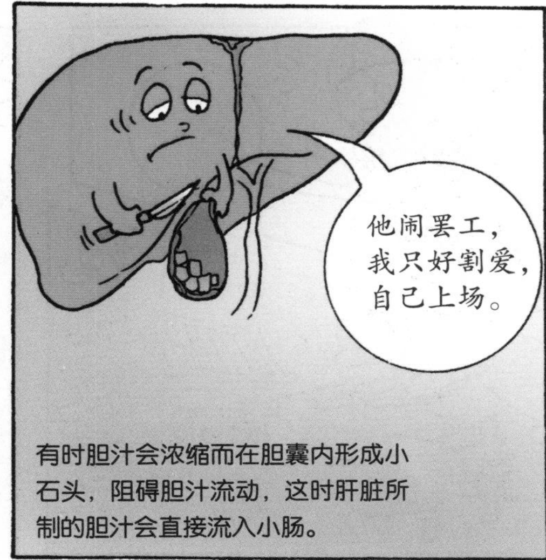
他闹罢工，
我只好割爱，
自己上场。
有时胆汁会浓缩而在胆囊内形成小
石头，阻碍胆汁流动，这时肝脏所
制的胆汁会直接流入小肠。

人体的化工厂

●肝脏位于右上腹，有肋骨保护，由3000亿个细胞组成，看起来表面光滑，实际上是由5万～10万个肝小叶组成，每个小叶中央有一条中央静脉，每条中央静脉处排列着数百个肝细胞，与微小的胆管和微血管互相交织，由微血管将饱含氧气和养料的血液输送给肝细胞。●肝脏是各种维生素的仓库，如果身体摄入的维生素超过需要量，肝脏就把多余的储存起来；维生素供应不足时，肝脏就把库存释放到血液里。●肝脏还有制造糖原、稳定血糖浓度、化解毒素、减弱麻醉品作用等功能。肝脏还能制造酶，处理已经消化的脂肪和胆固醇，而且是身体重要的热源。

血气方刚

注释：血气，指一个人生理上的精神气力。方，正当。刚，强盛。

用法：指年轻人精力旺盛，容易冲动，尤其喜欢逞强争斗。

周处年少时，血气方刚，爱打架闹事。
饶了我吧！

汪！汪！

啊呜——

周处来了！快走！
他一拳就能打死人！

咕噜——
悦来饭店

伙计，快上好酒！
唉，惨了！
阳春面

快呀！
快呀！
来了！
来了！
记账！
霸道！
是！
周处常到处惹是生非，闯进李大妈的果园，打下一地的果子。
拿果子来练武真不错。
啊！我的果园……死没良心的！
老太婆竟敢骂我！
哎哟！
周处真是个大害虫。

斗牛见到红色就亢奋，仿佛前面垂着令它想一探究竟的红帷幕。它好奇心太重，但永远都冲不破。红帷幕像梦一样忽东忽西，惹得它脾气愈来愈坏，总是东奔西撞。

人体的血液由 55% 的液体血浆及 45% 的固体血细胞组成，占体重的$\frac{1}{13}$。

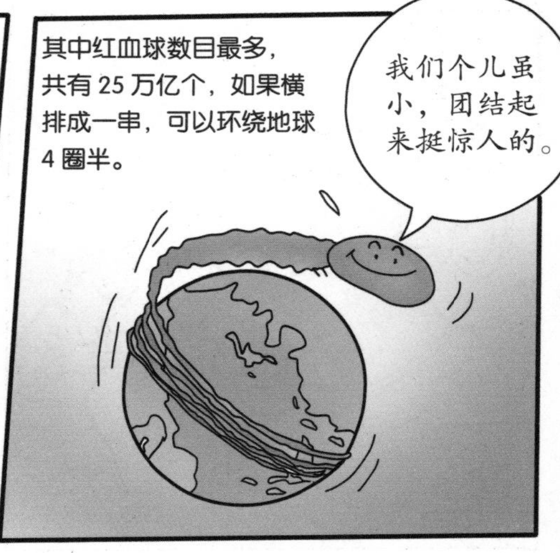
其中红血球数目最多，共有 25 万亿个，如果横排成一串，可以环绕地球 4 圈半。
我们个儿虽小，团结起来挺惊人的。

每个红血球中有 100 万个血红素，可以将肺中的氧气，输送到身体细胞中。
别乱动，我送你们到各处去！

红血球带着氧分子进入微血管，释放氧分子并吸收二氧化碳，送到肺部排出。
氧分子，下车工作，二氧化碳跟我去肺部。

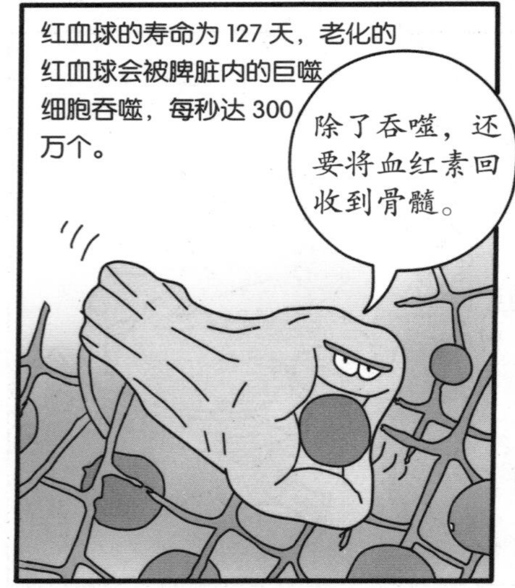
红血球的寿命为 127 天，老化的红血球会被脾脏内的巨噬细胞吞噬，每秒达 300 万个。
除了吞噬，还要将血红素回收到骨髓。

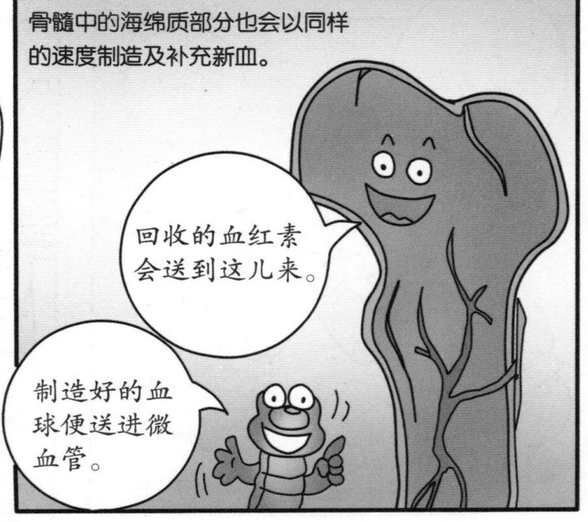
骨髓中的海绵质部分也会以同样的速度制造及补充新血。
回收的血红素会送到这儿来。
制造好的血球便送进微血管。

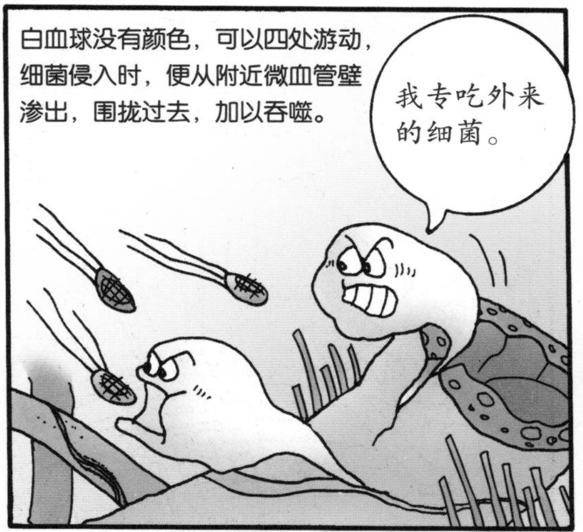
白血球没有颜色，可以四处游动，细菌侵入时，便从附近微血管壁渗出，围拢过去，加以吞噬。
我专吃外来的细菌。

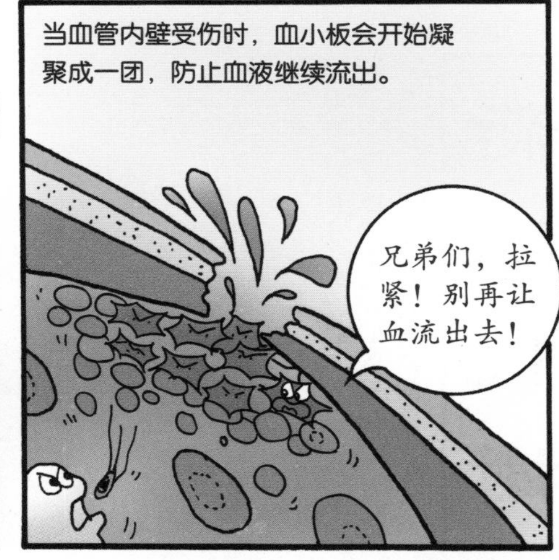
当血管内壁受伤时，血小板会开始凝聚成一团，防止血液继续流出。
兄弟们，拉紧！别再让血流出去！

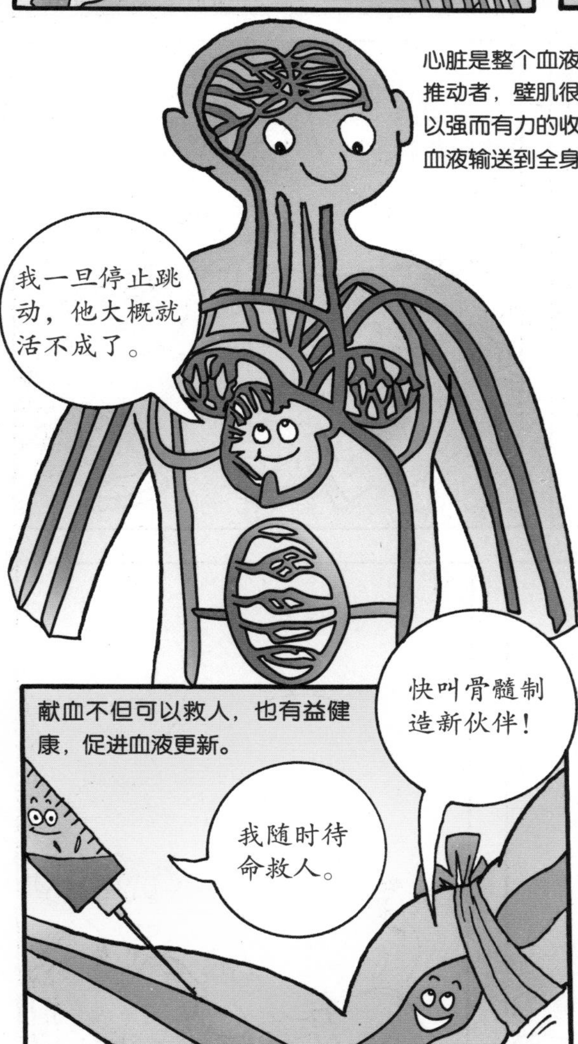
心脏是整个血液系统的推动者，壁肌很厚，能以强而有力的收缩，将血液输送到全身各处。
我一旦停止跳动，他大概就活不成了。
献血不但可以救人，也有益健康，促进血液更新。
快叫骨髓制造新伙伴！
我随时待命救人。

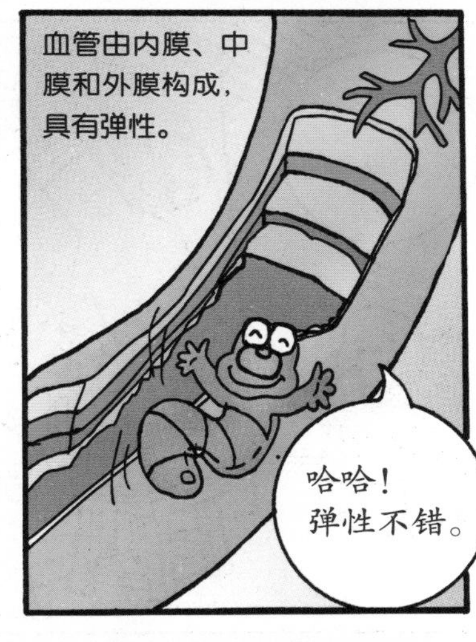
血管由内膜、中膜和外膜构成，具有弹性。
哈哈！弹性不错。

为了维护心脏、血管及血液的健康，要做适度的运动，保持心情愉快。
胡思乱想，心脏会受不了！

一支特殊的军队

●人体有三种血细胞，各有各的功能。红血球专司运输氧和二氧化碳，白血球捍卫身体健康，抵抗疾病和有害物质的侵袭，血小板是血液凝固的要素。●血浆中 90% 以上是水，但含有数千种物质，包括蛋白质、葡萄糖、盐、维生素、激素、抗体和废物，身体能用到的物质几乎全有。有了血浆，血液才能顺畅流通，把物质分配给需要营养和保护的身体各部位。●骨髓有『造血工厂』之称，尤其是制造红血球和血小板。●白血球有些产自骨髓，有些产自淋巴结、脾脏、胸腺、扁桃体和淋巴系统的其他部分。

新陈代谢

注释：陈，旧的。代，取代。谢，消除。
用法：①指事物更新除旧的现象。
②生物排除废物、吸收养料的交互作用。

爸爸买新家具啦！

春联为什么也换新？
福

为什么爸妈都忙着换新的桌椅和春联？
明天过新年，大家都忙着除旧布新。

旧的不好吗？
旧的东西如果用坏了，就得换新的。让环境有新的气象，才有好的开始。

那什么时候开始呢？
现在呀！

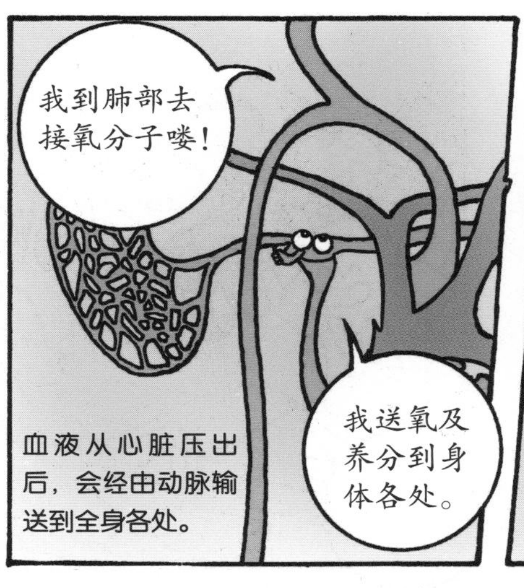
我到肺部去
接氧分子喽！
我送氧及
养分到身
体各处。
血液从心脏压出后，会经由动脉输送到全身各处。

香蕉好吃，
垃圾给你。
新鲜血液经由动脉微血管进入组织中，再由微血管将二氧化碳及废物带回静脉中。

这儿是下水
道污水处理厂。

有用的东西
我再带走。

血液进入肾脏后，废物转移到肾盂，流入通向膀胱的输尿管，有用的物质再吸收到微血管和静脉中。

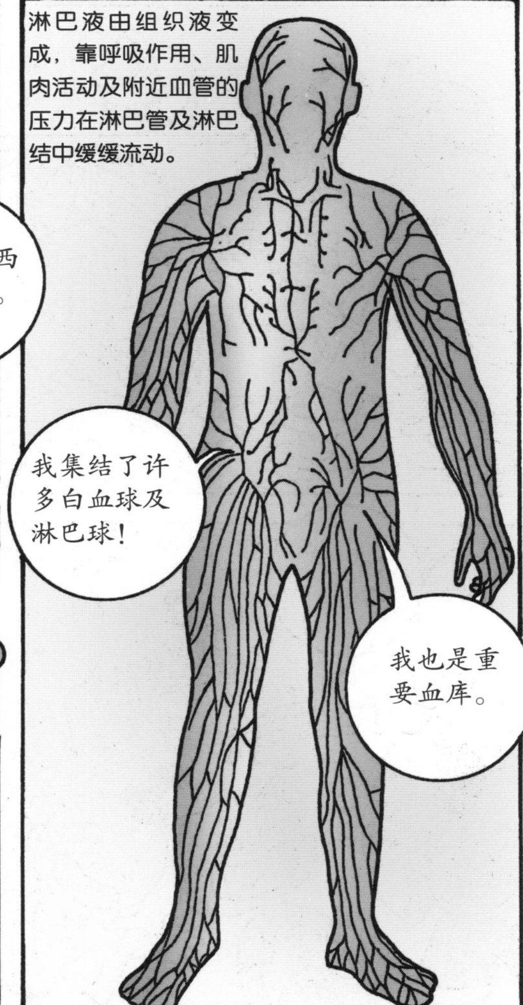
淋巴液由组织液变成，靠呼吸作用、肌肉活动及附近血管的压力在淋巴管及淋巴结中缓缓流动。
我集结了许
多白血球及
淋巴球！
我也是重
要血库。

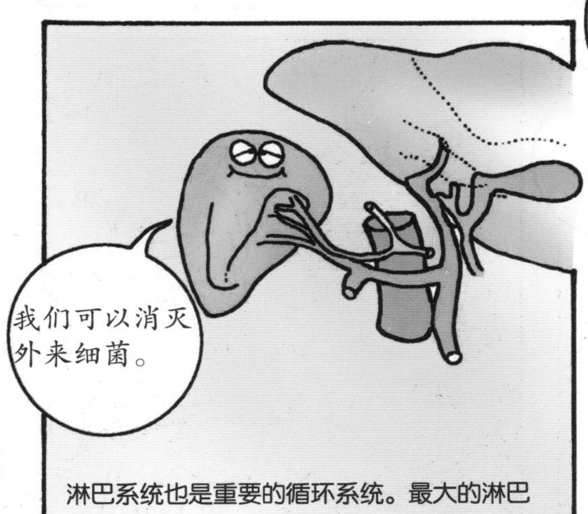
我们可以消灭
外来细菌。
淋巴系统也是重要的循环系统。最大的淋巴器官是脾脏，可以过滤血液及生产淋巴细胞。

鲜为人知的液体系统——淋巴系统

●淋巴系统在身体的防卫机制中占重要地位，滤出病原体，并制造白血球和抗体；对于液体和养分在体内的分配也有重要作用，因为它能协助消化脂肪、输送养分，并排除微血管循环所留下的多余体液和蛋白质，维持整个身体的液体平衡。●除了淋巴液，淋巴系统中还有毛细淋巴结和较大的淋巴管、淋巴结或淋巴腺、脾脏、扁桃体、胸腺。●淋巴系统与血管系统不同，并没有像心脏那样的泵，不过大的淋巴管有瓣膜以防逆流。淋巴液则靠呼吸作用、肌肉活动以及附近血管的压力而流动。

手舞足蹈

用法：形容一个人非常高兴时，不自觉地手足舞动。

下午老师带你们去郊游。
好棒呀！

好美妙的音乐！
我不禁想……
想跳舞是吗？

人类由四足爬行逐渐演化为后腿站立之后，双手才开始变得重要起来。
有了双手，生活方便多了。

人类的手臂主要是由上臂较重的肱骨及前臂较轻的桡骨和尺骨组成。
骨骼与肌肉默契配合！

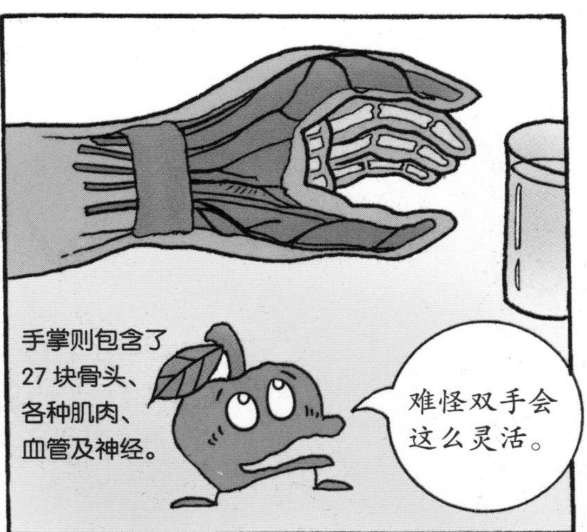
手掌则包含了27块骨头、各种肌肉、血管及神经。
难怪双手会这么灵活。

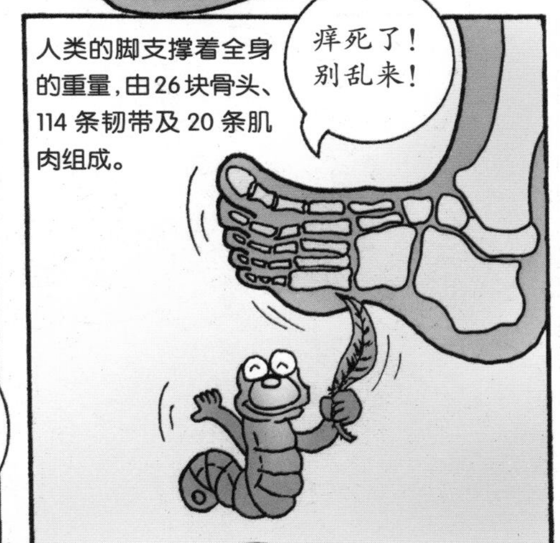
人类的脚支撑着全身的重量，由26块骨头、114条韧带及20条肌肉组成。
痒死了！别乱来！

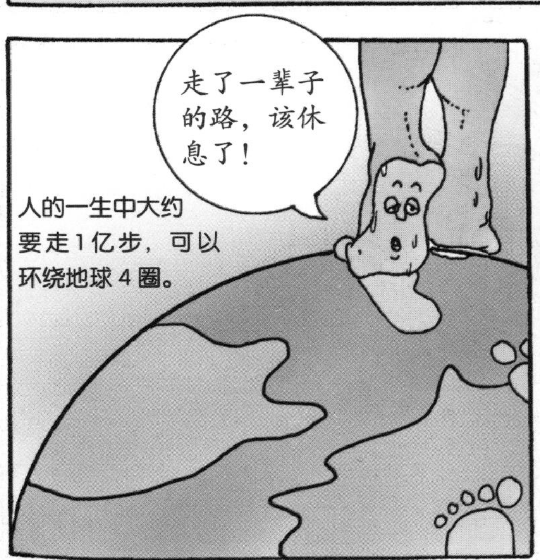
走了一辈子的路，该休息了！
人的一生中大约要走1亿步，可以环绕地球4圈。

好痒！
干吗这样折磨我们？疼死了！
好臭！
文明进步后，人类发明了鞋袜来保护脚部，但有时也有不良的后果。

手脚万能

●在人体的各部位中，手的运用最为频繁。据统计，人一生中至少伸屈手指2500万次。●人手上的指纹有3种基本形式，最常见的是环状纹，其次是螺状纹，比较罕见的是拱形纹。●世界上没有相同的指纹，即使你将指纹磨掉，它还是会再长出来，并且不因年龄而变。●指甲是一种老死的组织，它的基部以每10日1毫米的速度生长。一般而言，手指甲的生长速度大约比脚趾甲快3倍。●由于脚的皮下组织有体液积压，因此一到黄昏，整只脚会显得鼓胀。●脚底板中央略呈拱状，称为脚弓，具有分散、缓冲压力的功能。

筋疲力尽

用法：形容非常疲劳、困倦。

战国时期，
秦始皇——
我的时代
终于来了！

秦始皇为了统一天下，
不断对六国发兵！
秦
秦

为了兴建阿房宫，动用
了三四十万的人力。
咻
啊！！

再动用
三十万人，
修建陵墓。
唉——
叹什么气？
快干活！

又令蒙恬率军三十
万攻打匈奴。

为了防止匈奴南侵，
又动用了数百万人，
修筑万里长城。
苦呀！
叫什么？
快干活！

秦始皇南征北伐，野
心勃勃，加上兴建多
项工程，把人民弄得
筋疲力尽，怨声四起。

我十三岁就被叫去打仗，
然后再调去修阿房宫、万
里长城……十几年来不
曾回过家乡……
我这老头也
免不了做苦
工呀！

狒狒倒立10分钟后，就累得受不了，躺在地上呼呼地喘着。斑马看见了，过去问它在干什么，狒狒说：「我想把地球举起来，但是它太重了，我只能坚持10分钟。」

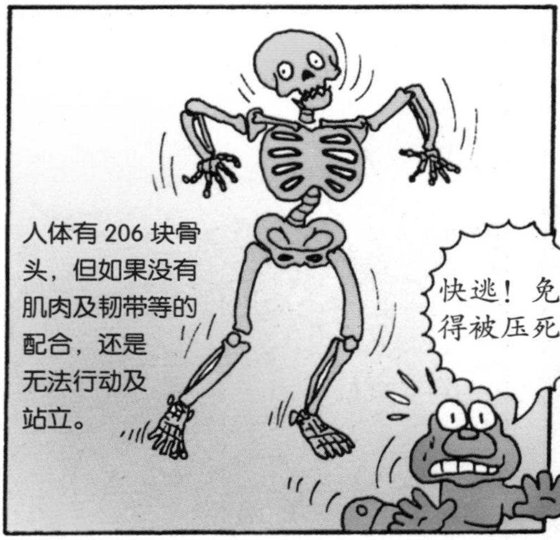

人体有 206 块骨头，但如果没有肌肉及韧带等的配合，还是无法行动及站立。

快逃！免得被压死！

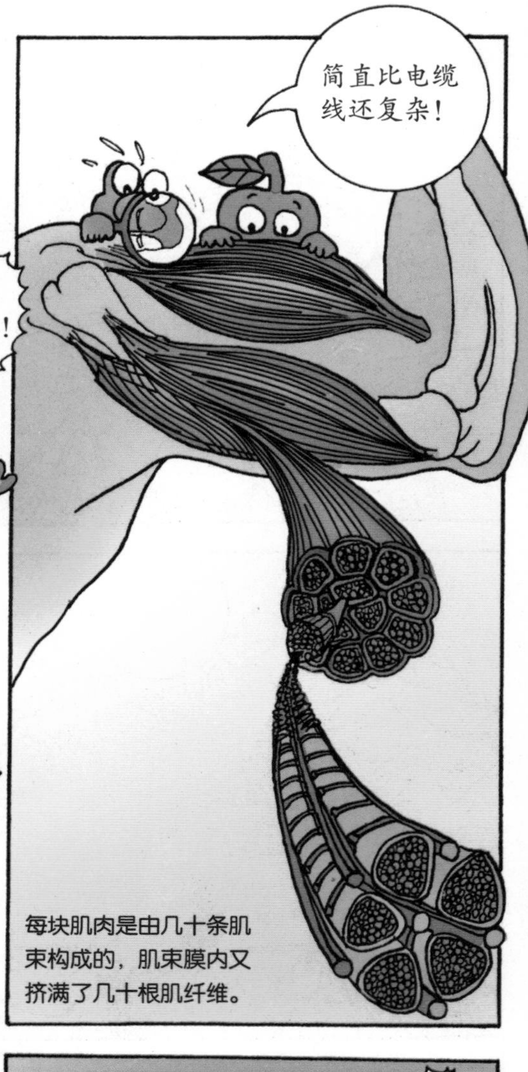
简直比电缆线还复杂！

每块肌肉是由几十条肌束构成的，肌束膜内又挤满了几十根肌纤维。

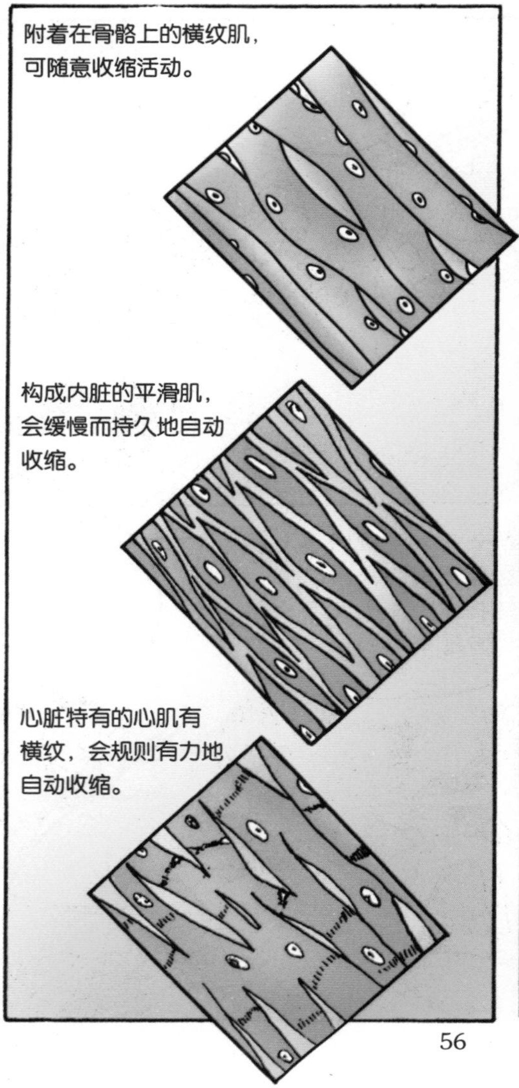

附着在骨骼上的横纹肌，可随意收缩活动。

构成内脏的平滑肌，会缓慢而持久地自动收缩。

心脏特有的心肌有横纹，会规则有力地自动收缩。

运动能使身体生出新的微血管，使肌肉更为发达，有益于新陈代谢。

预备——

如果长时间不做运动，肌肉会逐渐萎缩。而运动过度则会损伤肌肉与骨骼。
快断啦！干吗逞英雄呢？
很久没运动，就变成这副邋遢相。
乳酸越积越多，快跑不动了！
激烈运动时肌肉收缩会产生乳酸，使肌肉膨胀，产生酸痛感。

多摄取蛋白质丰富的食物，配合适度的运动，可使肌肉更加发达。但饭前、饭后均不适于做激烈的运动。
刚吃饱，不能马上运动，会伤身体的！

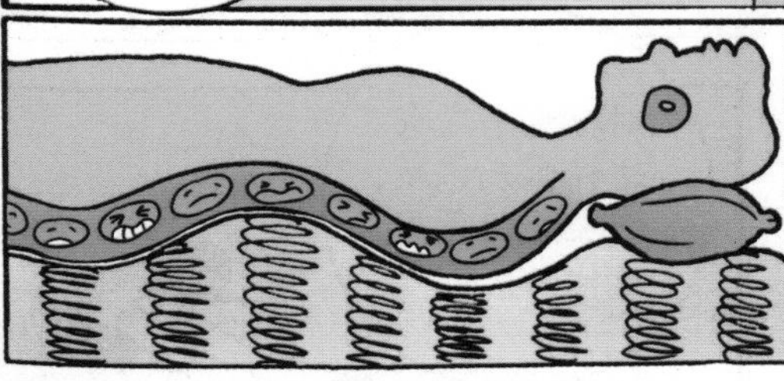

睡在太软的床上，肌肉为了支撑身体，容易产生酸痛感，不如睡硬床。

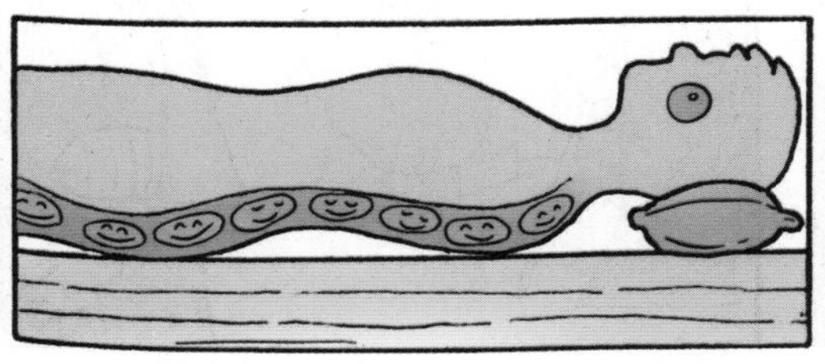

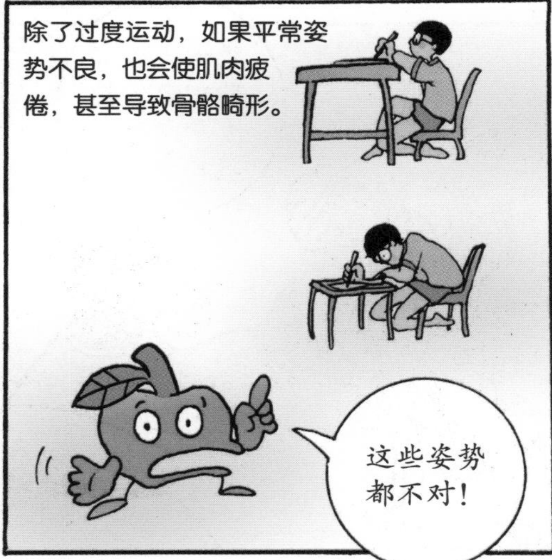
除了过度运动，如果平常姿势不良，也会使肌肉疲倦，甚至导致骨骼畸形。
这些姿势都不对！

运动的最佳拍档

●肌肉有三种作用，即运动、维持身体的姿势及产生大量体热。●我们全身的肌肉总重约占体重的40％。●如果锻炼方法不正确，使成对的肌肉发展得不均衡，就会造成肌肉僵硬的现象。●弯起手臂，用力在上臂敲一下，就会有一块鼓起的『小老鼠』，这是因为受到敲击的肌肉起了收缩反应，长度一缩短，高度就增加了。●长期做适度运动，心率会降低，因为心脏会跳得更有力，每一下能输送更多的血液和氧气。职业运动员的心率只有40次每分，比普通人少20次。

体无完肤

注释：完肤，完整的皮肤。

用法：①比喻遭受伤害，面目全非。②比喻被人不留余地地批评指责。

儿呀！争气点，金榜题名回来，娘才光彩。
我尽力就是。

名落孙山，这下可惨了……

哎哟！痛死我了，真倒霉！

没考上还有脸回来，骑个驴竟摔成这样……

别把儿子骂得这样体无完肤，一次失败算得了什么！

人类有各种不同的肤色，那是因为皮肤中黑色素含量不同。

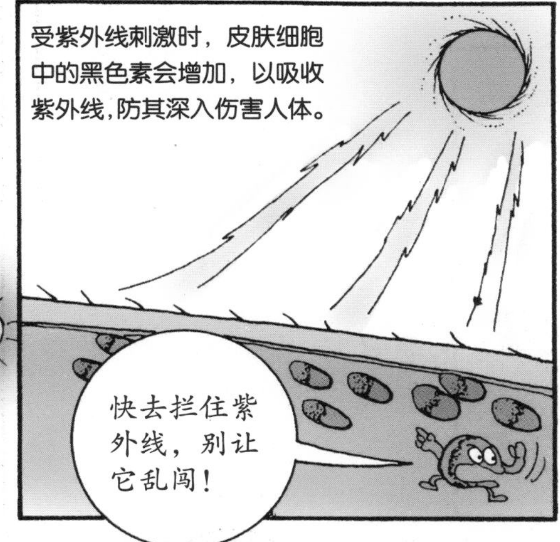
受紫外线刺激时，皮肤细胞中的黑色素会增加，以吸收紫外线，防其深入伤害人体。
快去拦住紫外线，别让它乱闯！

皮肤构造自上而下依序为表皮、真皮及皮下组织。
哇！好复杂！

皮肤上住着许多微生物，但大部分都在为我们抵挡致病微生物的侵袭。
我们可不是白吃白住呀！

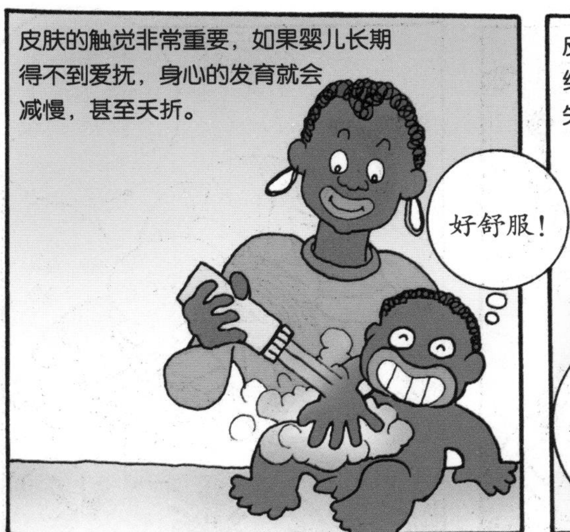
皮肤的触觉非常重要，如果婴儿长期得不到爱抚，身心的发育就会减慢，甚至夭折。
好舒服！

皮下组织含有脂肪，年纪大了，皮下组织就会失去脂肪，形成皱纹。
少了脂肪，不但怕冷，而且皮肤失去弹性。

最贴身的内衣：皮肤

●皮肤的真皮和表皮层分布着4种刺激的微小感觉器——冷、热、触、痛。●皮肤感觉器的分布以脸部及指尖最多，背部与臀部最少。这些感觉器可以防止身体受到伤害，也能了解外界的温度，以便调节身体的状态。●人全身的皮肤摊开来有1~2平方米，平均厚度0.5~4毫米，总重3~4千克，柔韧而有弹性。●人体的皮肤中以眼睑最薄，手掌和脚底最厚。●表皮由十多层细胞组成，由于新陈代谢，下层的细胞会不断生出新细胞，向上移动，并在移动中逐渐变薄、硬化、死亡，最后成为表面的角质层。

汗流浃背

注释：浃，湿透。

用法：形容天气炎热，汗流很多。

真热！

阿爸，
吃饭喽！

吃饱了，赶快出去玩！

回来！
这么不珍惜粮食，你难道不知道阿爸每天下田的辛劳吗？

种稻真辛苦！我不敢浪费粮食了。

出来以后，
凉快多了！
体内温度过高时，血液中的水分子会从微血管渗透到汗腺里，再从毛孔流出。

人体的汗腺约有 230 万个，分布密度以手、脚、额头和腋窝最高。
原来手上有
这么多洞！

就算完全不做运动，每天透过皮肤排出的水分也大约有半升之多。
慢慢地滴，
也能滴满二
三杯。

其中有一半是睡觉时冒出来的，所以平常要多晒棉被。
一晚冒一
杯汗，再不
晒就发霉了！

人类腋下的汗腺所分泌出来的汗水因为含有脂肪等物质，加上细菌繁殖，所以常会发出臭味。
哇！可怕的
毒气！

如果长时间大汗淋漓，会使体内盐分大量流失，对人体有害，须适时补充水分。
撑一下，
快到终点了！
77

人体自制清凉剂——汗水

●由于环境的影响，热带地区居民的汗腺比温带或寒带地区居民多。●汗腺是一条条弯曲的管子，每条长约 0.5 厘米。如果把全身的汗腺连接起来，至少有 10 千米长，比喜马拉雅山的珠穆朗玛峰还高！●由于血液中的氯化钠会随着水分，透过细胞膜进入汗腺，成为汗水，所以汗水尝起来咸咸的。●汗水中除了氯化钠，还含有钾、乳酸及尿素等成分，加上体外附着的灰尘及细菌，会发出所谓的汗臭味。

不寒而栗

注释：栗，颤抖。虽然不冷，身体却因害怕而发抖。

用法：形容非常害怕。

义纵是汉朝河东人，少年时曾参加强盗集团。

义纵的姐姐义姁，因医术高明而得以亲近王太后。
有兄弟当官吗？
有位弟弟行为放荡，不适合当官。

想办法安排义姁的弟弟当官吧！
孩儿这就去办。

于是，义纵受封中郎，补为上党郡中的县令。
听说他以前是强盗。

义纵治理政事很严酷，不接受别人的请托与说情，因此治安良好。
别打……我招了。

后来做到河内郡都尉，到任后就诛杀郡内恶霸。

因此河内郡治安极好，路不拾遗。

早年的强盗头子也前来投靠，领军作战，英勇杀敌。
冲呀！

定襄这地方，官盗勾结，治安很乱——

义纵奉调担任太守，到任后，斩除数百名贪官、恶霸。

从此以后，定襄的民众一听到义纵之名，即使出大太阳，也会不寒而栗。
义太守出巡！

小袋鼠在妈妈的肚子里抖个不停，妈妈问：『你冷吗？饿吗？』它却不回答。在夜森林中也不敢出来走路，还一直问：『为什么没有一个像太阳一样的灯，好点着让全林子里灯火通明？』边说还边害怕地发抖。原来小袋鼠前晚听了太多萤火虫讲的鬼故事。

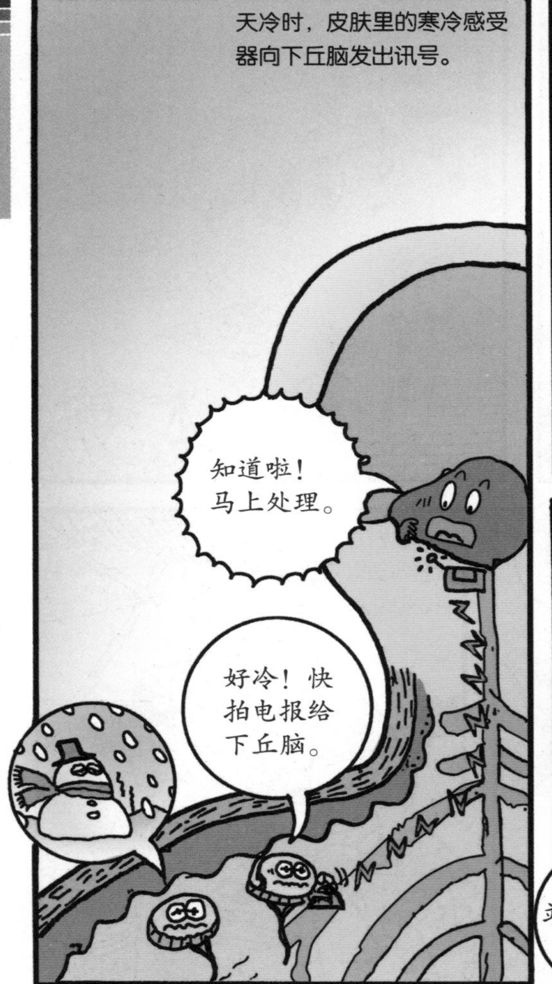
天冷时，皮肤里的寒冷感受器向下丘脑发出讯号。
知道啦！马上处理。
好冷！快拍电报给下丘脑。

于是下丘脑向皮肤中的微血管下达收缩命令，降低血液循环速度，减少体热的散失。
下丘脑要我们全体收缩待命。

也通知与毛囊相连的立毛肌收缩，使毛发竖起，并产生鸡皮疙瘩。
我可以使皮肤表面空层增厚，保持体温。
站挺一点！

发抖是一种肌肉活动，可以制造更多的热量来御寒。
这也算是一种运动。

天气极度寒冷时，皮肤的血液循环会不顺畅，使细胞功能衰退，形成冻疮。
你再不送血来，我就没救了。
太冷了，跑不动。

胖的人不怕冷，是因为脂肪隔热能力是皮肤的 2 倍、肌肉的 3 倍。
冷与热想过我这关，可没那么容易。

即使天气不冷，人遇到危急情况时，也会体温降低，直冒冷汗。

或毛发竖起、表皮血管收缩，以防受伤时大量流血。
万一被咬，可就糟了！

这是因为肾上腺素分泌。肾上腺左右各一，像顶三角帽般戴在肾脏上。
我个儿虽小，作用却很大。
你看我像不像拿破仑？

但如果经常遭遇危急情况，肾上腺素的分泌过于频繁，对身体健康可能就会有害了。因此平常要多注意周围环境及保持从容愉快的心情。
读书有计划，考试不用怕。
平常多运动，能增加反应能力。

神秘的器官

●人体里的内分泌腺没有导管，分泌物称为激素，直接流入血液，输送到体内各种组织细胞，所以也叫无管腺。●内分泌腺包括脑垂体、甲状腺、胸腺、肾上腺、胰腺及性腺。●脑垂体控制骨骼生长，并调节其他内分泌腺的活动；下丘脑控制脑垂体的分泌工作、体温、饥渴感和性欲；松果体和生殖系统有关。●甲状腺控制能量消耗速度和身体发育；甲状旁腺控制血液的含钙量。●胸腺控制儿童体内一种抗感染的白血球的生产。●肾上腺控制体内盐分与水分的平衡，帮助身体应付紧急情况。●胰腺控制血液含糖量。●性腺包括女性的卵巢，控制性发育和产卵；男性的睾丸控制性发育和精子生产。

面红耳赤

用法：①形容羞愧的样子。②形容因争执而发怒的脸色。

带我去看花灯好吗？
你这么调皮，我怎么受得了？

姐，拜托啦！我一定乖乖的，保证不作怪。
你说的啊！

羞羞羞，姐姐爱男生。

姐姐——爱——男生——
你少胡说！
你们为了什么事争得这样面红耳赤的呢？

当人类愤怒或激动时，脸部、脖子及上胸部常会泛红。
脸红脖子粗，挺吓人的。

这是因为肾上腺分泌激素使心脏收缩加强，搏动加快。
情况紧急！快送些血出去！

而使得前述部位的皮下微血管扩张，供血量增加。
岂有此理！

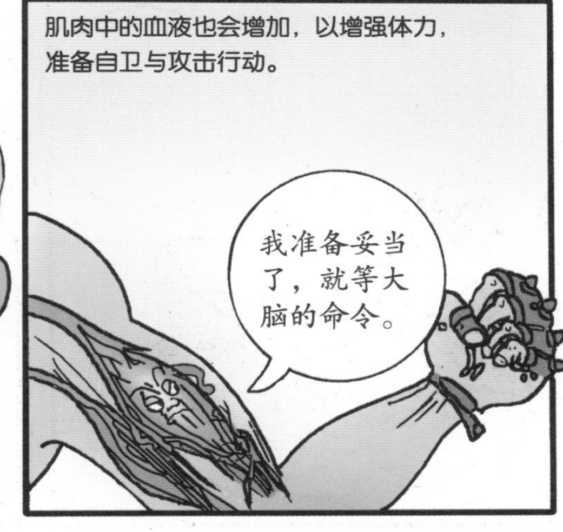
肌肉中的血液也会增加，以增强体力，准备自卫与攻击行动。
我准备妥当了，就等大脑的命令。

害羞时也会面红耳赤，属于下意识的反应，无法控制。
害羞的模样更可爱。

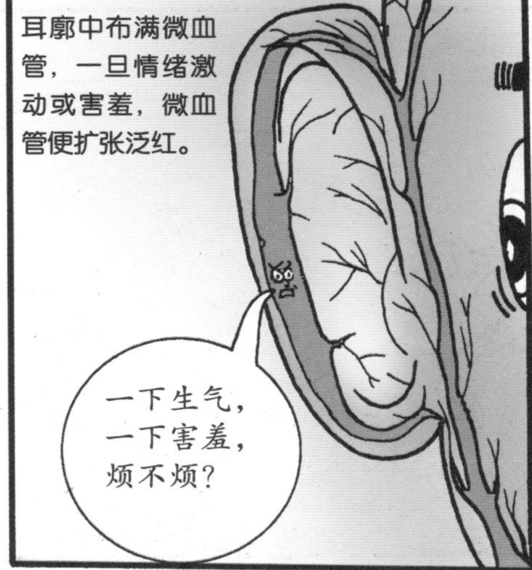
耳廓中布满微血管，一旦情绪激动或害羞，微血管便扩张泛红。
一下生气，一下害羞，烦不烦？

像钥匙一样的激素

●每一种细胞都有特别的受体，只能接受一种或几种激素，而激素就只向接受它的细胞传递信息，像钥匙一样，只能打开某些锁。●激素能够发动或抑制某些特殊生理机能的原动力，减慢或加快其目标细胞发挥正常功用的速度。●激素产量是随着人体的需要而随时增减的，反馈机制不断监测身体对各种激素的需要量，并把信息传递给内分泌腺，从而调节激素的产量。●内分泌系统对紧张情况的反应十分迅速，会马上分泌出多种激素，使身体做好抵抗敌人或逃离险境的准备。

善游者溺

注释：溺，沉入水中。

用法：表示自恃所长反而给自己带来祸害。

阿龙爱游泳，天天在他暗恋的船家女旁边游来游去。

你整天游手好闲，真无聊！
不会呀！你看，我很会游泳。

你捡得到这条丝巾吗？
当然，看我的！

阿龙太逞强，游到了急流处还不知道。

最后被卷入了漩涡里。

游泳是一项很好的运动。
爸妈会照顾我，游起来才安心。
最好到游泳池或有救生设备的海水浴场游泳，不可随意在溪流中戏水。
救命呀！

下雨天，尤其有雷电时，不可游泳，以免发生意外。

饭后一个半小时以后，才能下水游泳，肚子饿时也不可游泳。
福利社
等会再游，免伤肠胃，也较安全。

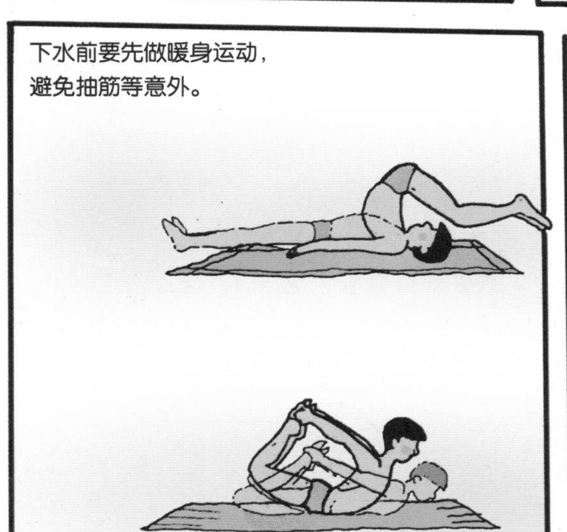
下水前要先做暖身运动，避免抽筋等意外。

游 30 分钟便上岸休息一下。一上岸，就用毛巾裹住身体，以免感冒。
你看，感冒了！

在学会游泳之前……

●游泳前，如果做好泳前练习，就能充分熟悉水性，很快学会各种泳式。●玩水：先在水浅的地方泼泼水，打水仗，消除怕水的心理。●憋气：用嘴吸满一口气后闭气，将脸浸入水中，并睁眼来看，一次次加长时间，可训练在水中停留得更久。●换气：用嘴吸一口气，头埋进水里用鼻子缓缓呼气，气将吐尽时，抬头用嘴喷出最后一口气，再重新吸气，并反复练习。●漂浮：吸一口气，沉入水中，两手抱脚后全身放松，身体就会慢慢浮至水面。●蹬脚前进：站在池边，两手向前平伸，一脚抵住墙壁用力蹬，使身体向前滑去，要换气时，双手下划，同时腿向胸部收，就能站起来。可以训练漂浮时的平衡和稳定。

闻鸡起舞

注释：闻，听到。舞，舞剑。

用法：形容一个人胸怀大志，能够时时提高警觉，努力奋进。

祖逖生在西晋末年——
我要做一番大事业。

祖逖有个好朋友刘琨，两人常相互勉励。
好久没练剑了，剑术恐怕生疏了。
那么，明天鸡叫，我们就起床练剑。

祖逖也是个心地善良的好青年。
谢谢你，你真是好心肠。

鸡啼了，快起床吧！
是呀！我们不能贪睡了。

喔喔喔喔

后来，祖逖被封为将军，奉命率军渡江，收复江北失地。

我要是不能杀退敌人，平定中原，绝不渡江南返！

我们一直追随将军！

士兵们抱定为国牺牲的决心，所以战无不胜。

百步蛇打败了飞鹰之后，飞鹰就开始反省自己。傍晚它常坐在河边闭眼冥思，来训练自己的听力。或者站在夜森林里，闭眼静听万物的声息，以增加自己对环境的反应力。它告诉过自己，尽管飞的时候可以翱翔千里无所顾忌，但在地上休息时，绝不让百步蛇再偷袭它一次。

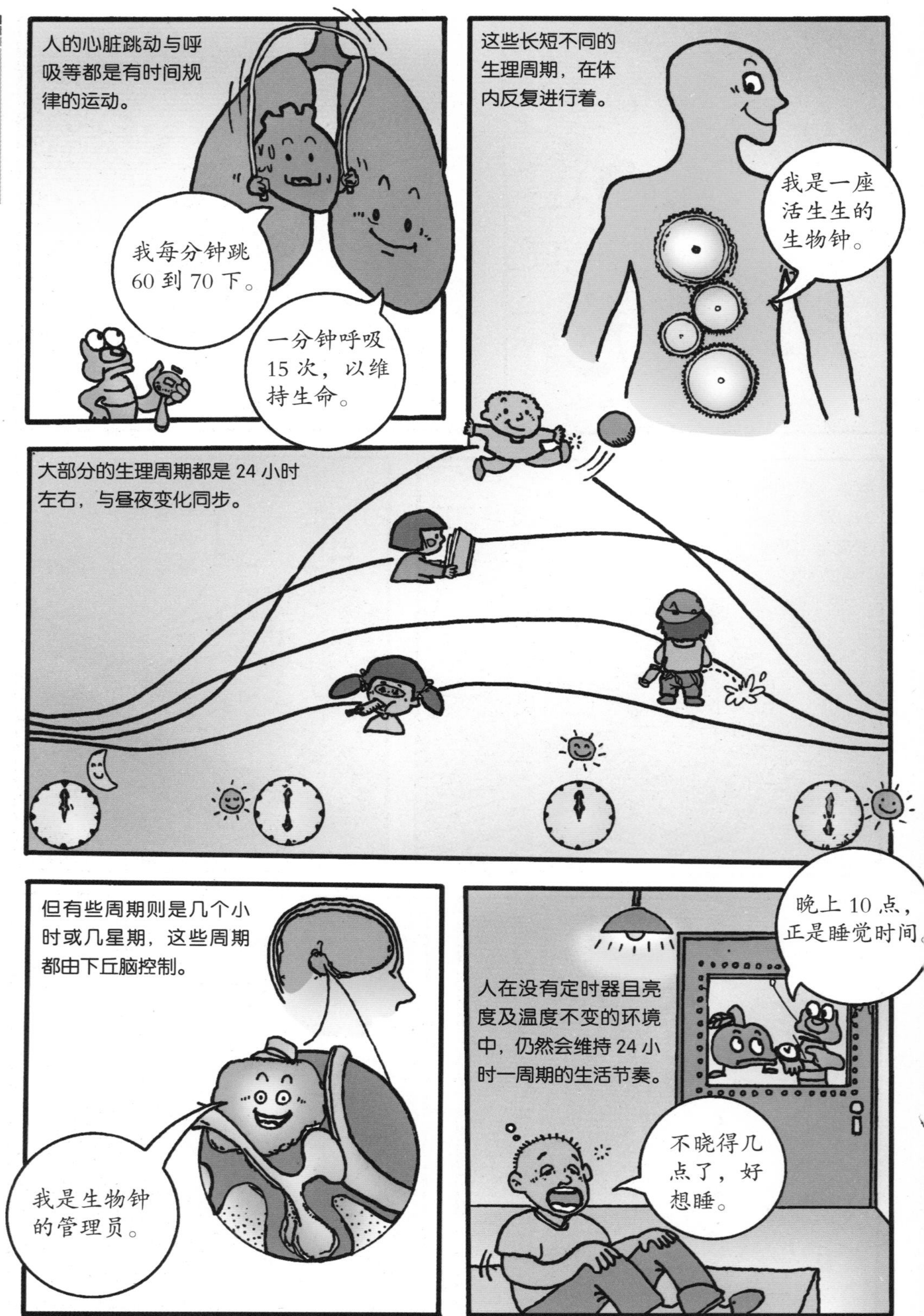
人的心脏跳动与呼吸等都是有时间规律的运动。
我每分钟跳60到70下。
一分钟呼吸15次，以维持生命。
这些长短不同的生理周期，在体内反复进行着。
我是一座活生生的生物钟。
大部分的生理周期都是24小时左右，与昼夜变化同步。
但有些周期则是几个小时或几星期，这些周期都由下丘脑控制。
我是生物钟的管理员。
人在没有定时器且亮度及温度不变的环境中，仍然会维持24小时一周期的生活节奏。
晚上10点，正是睡觉时间。
不晓得几点了，好想睡。

到不同时区的地方旅行时会产生时差反应。
这里晨昏颠倒。
生病发烧的人因为身体活动周期变短，所以感觉时间比实际的要长。
天怎么还没亮？
心理状态也会影响人对时间的感觉。例如失眠时，就会觉得夜晚好长。在快乐的游戏或活动中，又觉得时间过得特别快。
睡又睡不着。
吃饭了！玩得都忘了时间！
人体也像四季一样，有着规律的季节变化。
冬
秋
夏
春
人体皮下脂肪的厚度随季节而变。
胎儿的生物钟会与母亲的生活步调一起调整，保持一致。
乖宝宝，跟妈妈一起睡。
好感人的画面。

适应环境的生命节奏

●生物一天的生活节奏，表面上看起来好像是受到环境的影响，实际上是生物本身具备的概日节奏刚好可以配合环境的周期变化。●概日节奏是一种能够测量一天的时间长度的能力，这种能力是长久以来，生物为了适应环境周期而具备的。有了这个先天遗传的能力，生物得以在这个有周期性的环境里做适当的活动分配，而发出概日节奏的中枢就称为概日时钟。●在哺乳类中，与概日节奏有关的部位都集中在脑视丘下部的视交叉上核。●概日节奏不但影响生物活动的节奏，同时也影响各种生理机能。

剜肉医疮

注释：剜，用刀挖取。全句意思是说挖取肉用来疗补烂疮。

用法：比喻只救眼前的紧急，不顾后果。

战事连连，开销很大，国库告急啦！
那——必须一年收两次税了！

求你不要搬，我们会饿死的！
住口！纳税是你的义务。

但是……税实在太多了！

少啰唆！你敢抗命吗？

另一方面，在某个官宅内——

把税收留一半下来，知道吗？
嘻嘻！遵命！

县府里处处要花钱，留一些是应该的……

我吃饱了，剩下的都给你们。
谢谢大人。

没东西吃，该想办法……
没值钱的东西了，只好……

我有没抽的丝，没收成的谷，想跟你换……
这些能换什么好价钱呢？

诗人聂夷中写了一首描写农民困苦生活的感慨诗：二月卖新丝，五月粜新谷。医得眼前疮，剜却心头肉。我愿君王心，化作光明烛。不照绮罗筵，只照逃亡屋。

不小心被关在冰箱里的蚊子可冻坏了，它站在门边等待。果然有人来开冰箱，它头也不回地冲出去，冲进正在燃烧的火中。一下子，它全身就暖和起来、燃烧起来了。

人体有些疾病不是药物能够治疗的，必须以手术割除。
真要命！快叫医生动手术！

痛死我了！
手术之前，必须进行麻醉，以防病人疼痛挣扎或昏厥。

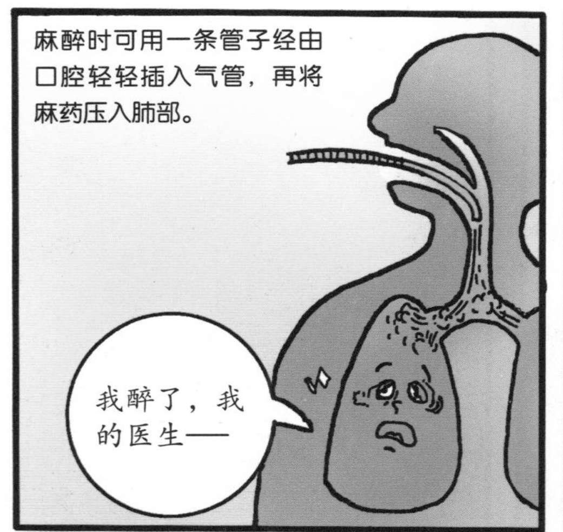
麻醉时可用一条管子经由口腔轻轻插入气管，再将麻药压入肺部。
我醉了，我的医生——

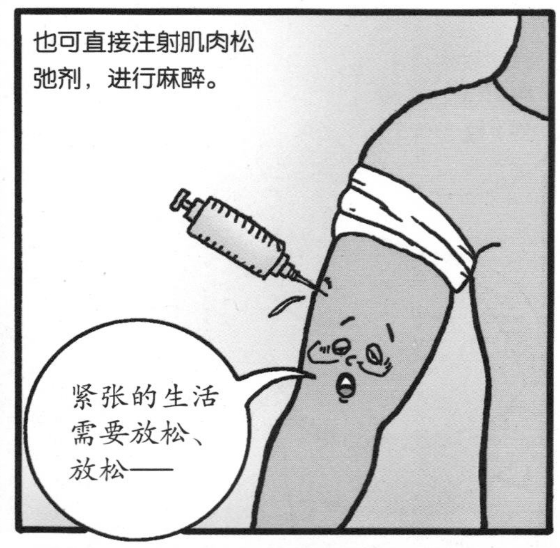
也可直接注射肌肉松弛剂，进行麻醉。
紧张的生活需要放松、放松——

低体温也可使人体呈现冬眠状态，利于进行大规模手术。
天气一冷，就不大想动。
我多存一些血，免得手术时流光了。
好冷！

在动刀之前，手术器具必须仔细消毒，免得伤口遭到细菌感染。
如果感染细菌，病人常在手术后死亡。

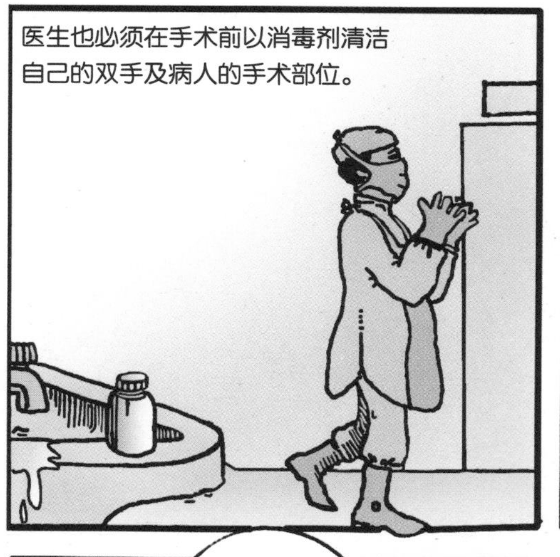
医生也必须在手术前以消毒剂清洁自己的双手及病人的手术部位。

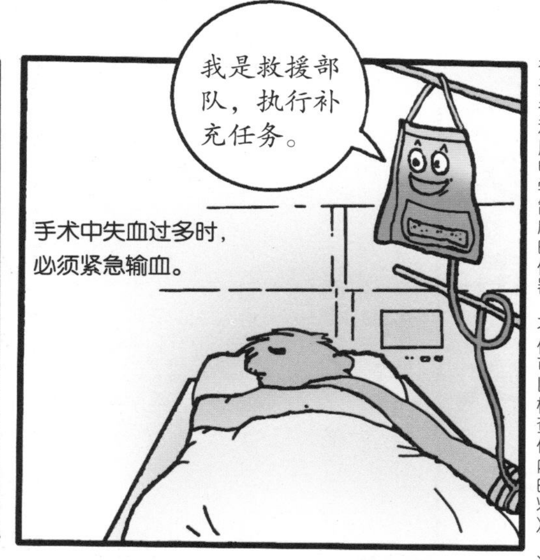
我是救援部队，执行补充任务。
手术中失血过多时，必须紧急输血。

但不同血型的血液混合后，有时会产生凝集沉淀的现象，阻塞血管，导致病人死亡。
喂！你们塞在路口，后面的血流不动了。
受不了这么热情的拥抱。
A
A
A
B
B

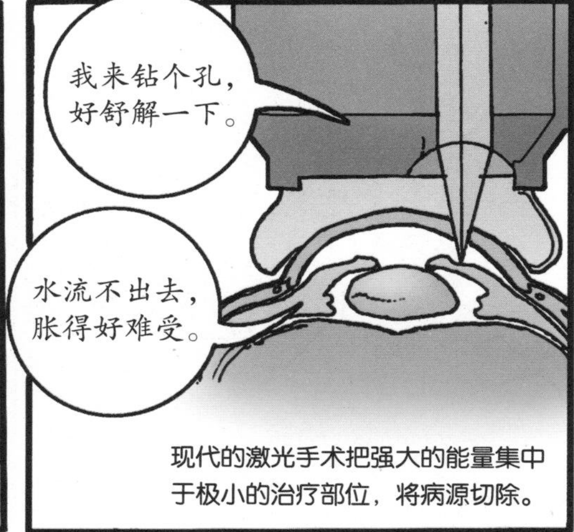
我来钻个孔，好舒解一下。
水流不出去，胀得好难受。
现代的激光手术把强大的能量集中于极小的治疗部位，将病源切除。

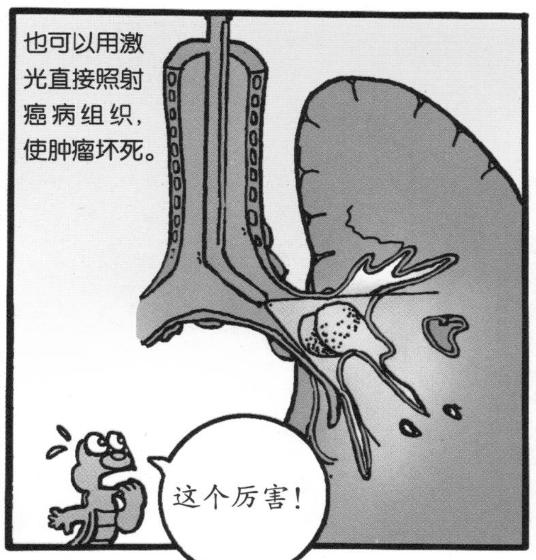
也可以用激光直接照射癌病组织，使肿瘤坏死。
这个厉害！

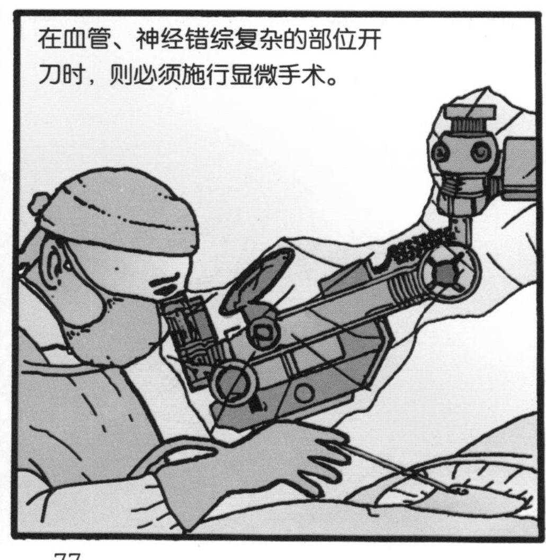
在血管、神经错综复杂的部位开刀时，则必须施行显微手术。

怎么知道生什么病？

●要治疗疾病，首先必须知道到底生了什么病，是什么原因引起的。这种了解、判断疾病种类的过程称为诊断。●诊断是在决定治疗方法之前先调查身体的状况，其中包括体温、心跳、疼痛部位、症状及其他生活状况等。●从前医生只能由病人的外表来观察病因，现在由于科学的进步、设备的完善，已经可以进一步检查内脏的功能、血液成分的变化、营养吸收的状况及其他各种体内反应。●了解心跳的情形，是诊断疾病非常重要的工作。听诊器除了可以听心跳，还可以听肺脏、胸膜、动脉、静脉及小肠等的声音。此外，还有许多利用电学制成的仪器，不但可以检查体内的状况，还能自动记录检查的结果。

以毒攻毒

用法：①指使用有毒的药物，治疗人身上的疾病。
②比喻用同样恶毒的手段对付恶敌。

北宋末年，金人常侵犯宋朝。
宋
金

金兵又来侵犯了！
这些金兵真烦人，军师你有什么对策？

我有个“以毒攻毒”的对策，用国人研制成功的火炮来对付金兵。
哇哈哈哈——好个“以毒攻毒”的计策！

宋军将火药系在箭上，从城楼上射下，炸伤许多金兵，金兵吓得落荒而逃。
砰
啊！这是什么武器？
会响还会炸死人呢！
赶快逃吧！
砰
金
砰